★影响世界的人★

# 莎士比亚

Shakespeare

★ 李玉屏 著　江长芳 绘

译林出版社

图书在版编目(CIP)数据

莎士比亚 / 李玉屏著. —南京：译林出版社，2013.10
(影响世界的人)
ISBN 978-7-5447-4474-4

Ⅰ. ①莎… Ⅱ. ①李… Ⅲ. ①莎士比亚，W.（1564~1616）-传记-少儿读物 Ⅳ. ①K835.615.6-49

中国版本图书馆CIP数据核字（2013）第223121号

本书中文简体字版由联经出版事业公司授权出版，原著作名《影响世界的人：莎士比亚》。
著作权合同登记号 图字：10-2013-38号

| | |
|---|---|
| 书　　名 | 莎士比亚 |
| 作　　者 | 李玉屏 |
| 责任编辑 | 周　璇 |
| 原文出版 | 联经出版事业公司 |
| 出版发行 | 凤凰出版传媒股份有限公司<br>译林出版社 |
| 出版社地址 | 南京市湖南路1号A楼，邮编：210009 |
| 电子邮箱 | yilin@yilin.com |
| 出版社网址 | http://www.yilin.com |
| 经　　销 | 凤凰出版传媒股份有限公司 |
| 印　　刷 | 江苏凤凰盐城印刷有限公司 |
| 开　　本 | 889毫米×635毫米 1/16 |
| 印　　张 | 10.75 |
| 插　　页 | 4 |
| 字　　数 | 114千 |
| 版　　次 | 2013年10月第1版 2013年10月第1次印刷 |
| 书　　号 | ISBN 978-7-5447-4474-4 |
| 定　　价 | 25.00元 |

译林版图书若有印装错误可向出版社调换
（电话：025-83658316）

# 导读

台北艺术大学戏剧学系
于善禄

常逛诚品书店的读者应该会发现，在店里头能够占整座书架的作者，除了英国的剧作家莎士比亚之外，几乎很难有第二位；我们通常可以在这样的书架上头，看到莎士比亚的传记、评论、入门书、不同版本的中英文剧本、影音DVD、莎剧导演及演员的经验谈等等，琳琅满目；而每一年，全世界以莎士比亚为名，所出版的学术论著、所召开的学术会议、所改编的艺术作品，甚至于相关的网站，更是不计其数，无怪乎人们早已称此为“莎士比亚工业”（Shakespeare Industry），如果莎翁后裔或者是斯特拉特福的什么历史文化遗产之类的部门或组织，对这些“工业产品”抽取版税的话，其总金额想必非常可观！

不过讽刺的是，即使有整架的莎士比亚，但在几个文学作品类型当中，剧本的出版与阅读差不多算是最差劲的，人们喜欢看演出的故事（这几年可能更喜欢看“街头”实际演出的政治剧与社会剧），或小说、电影叙述出来的故事，却不喜欢剧本“对话”与“行动”出来的故事，剧本就像乐谱、舞谱、字帖一样，只有想要演奏、扮演、临摹或研究的人，才会去找来看。

或许剧本、乐谱、舞谱、字帖等，都属于比较专业的人士才会找来欣赏或研究的，但是传记类作品的出版与阅读在台湾，还算有不错的成绩，毕竟我们都有想看别人成败经验或八卦逸闻的欲望。在传记里头，我们常常可以读到智慧、勇气、格局，当然也可以读到愚蠢与懦弱；我们在当中寻找一些成功的典范，当然也希望能够记取前人失败的教训，以避免重蹈覆辙。

摆在我们眼前的是一本新鲜上市的莎士比亚传记，作者李玉屏将莎士比亚的生平切分成三大块：斯特拉特福时期、伦敦时期、重返斯特拉特福，可以看出作者用了技巧性的描述文字，将公认的“莎士比亚消失行踪记录的七年”（1585—1592）给顺渡过去，像是“他有些离情依依，但是他更爱戏剧，他就这样悄悄地离开了家乡”（43页）、“威廉跟着女王剧团到各乡镇巡回演出，最后回到伦敦”（44页）等，还有“在剧团里，他什么事都认真地做……等到空闲时间，他就埋头念他的书”（44—45页），读者或许已经在电影《莎翁情史》（*Shakespeare in Love*）里看过马克·诺曼（Marc Norman）和汤姆·斯托帕德（Tom Stoppard）处理过这一段消失的行踪，而这里我们看到的是另一种方式——反正在那一段时间里，莎士比亚就是离开斯特拉特福，跟着剧团巡回演出，认真学习剧团事务，埋头苦读、充实自己。

老实说，要写一本莎士比亚的传记真是不简单。四百多年来，根据许多学者的考证，莎翁留有“相当数量的财产协议文件，婚姻证书，宗教受洗记载，几份有莎士比亚名称在内的演员表，几张纳税单，些许法律性书面陈述文件，付费账单，以及一份有趣的遗嘱”（莎学权威学者斯蒂芬·格林布拉特语），他并没有留下日记、手稿或书信之类的第一手资料

（可能都在1613年的环球剧院大火中付之一炬），同时代人对于他的评语则是毁誉参半，除此之外，就是那三十几部旷世剧作和诗歌创作；所以历代以来的莎翁传记作家，除了掌握这些基本资料之外，就要发挥极高的想象力和推理力了。

可以看得出来李玉屏在这些基础之上，还想办法以兰姆姐弟（Charles and Mary Lamb）说“莎士比亚故事”的方式，将细密编织而成的十几部莎翁剧作，化繁为简，介绍给我们的读者，包括《亨利六世》、《裘利斯·凯撒》、《亨利四世》、《亨利五世》、《亨利八世》等历史剧，《哈姆莱特》、《麦克白》、《李尔王》、《奥瑟罗》等四大悲剧，以及《仲夏夜之梦》、《罗密欧与朱丽叶》、《威尼斯商人》、《冬天的故事》、《暴风雨》等名剧。我们甚至还可以发现作者为了要树立一点自己的叙述风格，还把《李尔王》的故事重新组装，先介绍葛罗斯特爵士的父子关系，然后才回到剧本原来的顺序，介绍李尔王与女儿的关系；最特别的是，她从头到尾，都未提李尔王与弄臣之间的关系。

对我来说，传记的书写与阅读，除了传主是主体之外，更重要的还在于时代氛围的塑造与刻画。这个部分是最难的，也最能够看出传记作者的功力。毕竟人的生命历程与存在状态，多半都是应对所处的时代与环境，所做出的各种抉择，或有成功，或有失败，但最后这些都会成为宝贵的经验与智慧。

# 目录 CONTENTS

## 第二章 伦敦时期 044

# 第一章 斯特拉特福

## 好剧开锣了

大雪纷飞的黄昏，斯特拉特福的小镇显得特别热闹，原本黄晕晕的街灯，今晚闪着明亮的光辉，撑着雪伞的路人，络绎不绝地走向埃文河畔的圣三一教堂，教堂的钟声每隔半小时，当当当地响起来，告诉大家，快来看剧哦，圣诞节的好剧要开锣了！

坐落在亨利街的一栋二层农舍里，母子三人正忙着化装打扮。

“妈妈，我穿上连衣裙，肚子绷得鼓鼓的，好奇怪哦！”小男孩皱着眉、翘着嘴，又想笑，又笑不出来。

做妈妈的，在他脸上亲了一下，望着儿子的眼睛说：“威廉，你演的是玛利亚，当然是这个样子喽！而且，还是个漂亮的玛利亚哦！”

这个饰演玛利亚的威廉，是个八岁的男孩，有一张瘦长的脸、两道弯弯的眉毛和一双清澈的眼睛，如果是个女孩，的确是个漂亮的女孩。[1]

在这个屋子里，还有一个小演员，他已经戴上黄色的毛线帽，身上披

1 依照当时习俗，舞台上的女性角色，均由男性着女装演出。

着红蓝色的毛毯，手上拿着牧羊杖。小演员在威廉身边跑来跑去，嘴里叫着“羊来了——羊来了——”

这个小演员是威廉的弟弟，名叫埃德蒙，他饰演牧羊人。威廉看着他的弟弟，笑着说：“埃德蒙，你千万不能说狼来了——狼来了！”

埃德蒙立刻大叫：“狼来了，狼来了！”三个人都笑了起来。

门外响起了敲门声。

“一定是理查德！”威廉说。

进来的是个十一二岁的男孩，比威廉个子高，身体壮，他身上披着墨绿色长袍，头上扎着褐色头巾，下巴周围涂上黑黑的一圈，母子三人又笑了起来……

“约瑟来接玛利亚了！”埃德蒙高声地叫着。

饰演约瑟的男孩名叫理查德·菲尔德。他就住在附近，理查德的父亲和威廉的父亲是生意上的朋友，两家往来频繁。今晚，理查德饰演玛利亚的丈夫约瑟。

打扮妥当，即将出门时，威廉的妈妈把一个手工做的布娃娃拿在手里，对威廉说：“威廉，别忘了你的小婴儿。”几个人又笑成一团。

三位小演员在威廉爸妈的照料下，进了教堂。

那一晚，在圣三一教堂内的墙壁上，点亮了耀眼的火炬，讲台四周的蜡烛台上烛光摇曳，把教堂照耀得如同白昼。一排排的座位上坐满了来庆祝圣诞夜的教友，以及来看表演的观众。叽叽喳喳的说话声，驱走了12月寒冷的空气。

威廉的爸爸妈妈坐在前面的位子。

离位子不远的讲台旁，有张节目表，上面写着：

演出剧目：　耶稣诞生

演出时间：1572年12月24日，晚上7点

演员：玛利亚：威廉·莎士比亚饰　　约瑟：理查德·菲尔德饰

牧羊人：圣三一教堂戏剧班小朋友　东方三博士：读经班小朋友

唱诗：圣三一教堂唱诗班

七点，教堂的大钟当当当地响起。全场立刻静了下来，唱诗班的合音天使，穿着白色的圣袍，缓缓地走进教堂，如天籁般的圣歌在教堂内响起……

（约瑟背着一个布包，扶着玛利亚慢慢走上讲台。）

玛利亚：（挺着鼓鼓的大肚子，疲累地走上舞台）约瑟，我们从伯利恒走来，走了这么久，走到哪里啦？

约瑟：（向四周看看）到了旷野。

玛利亚：（抱着肚子）约瑟，我好累啊，走不动了……

约瑟：玛利亚，再忍耐一下，说不定前面就有住宿的地方。

玛利亚：天这么黑，到哪里去找？除非……上帝为我们安排。

约瑟：哦，我几乎忘了上帝。你提醒了我。那么，让我们跪下来向神祈祷吧！

（玛利亚和约瑟跪下，双手在胸前合十，抬起头，向上帝低声祈祷。

祈祷中，天空慢慢亮了起来……

约瑟做完祷告，站起身来，看到旷野里有灯光。）

约瑟：啊，玛利亚，你看。（伸手指向前方）

（说完，约瑟慢慢地把大腹便便的玛利亚扶起身来。）

玛利亚：（高兴地笑）我看到灯光了！

约瑟：有灯光，前面一定有人家！

玛利亚:(有信心地)我说吧,上帝会为我们安排的。

(两个人朝灯光处前进。原来是个饲养马匹的屋舍,里面有马槽、有干稻草。)

约瑟:我们暂且在这里住一晚吧。

(约瑟把背着的布包放下,看看四周,看到干稻草,弯身把草铺平,打开包裹,拿出一大块布,铺在干草上。)

约瑟:玛利亚,你躺在这上面,说不定,我们的宝宝就要出生了。

玛利亚躺在草堆上,脸上是痛苦与疲累的表情。

接着,一颗明亮的巨星从舞台上空划过,进入马厩,落在玛利亚躺着的草堆上。

婴儿的哭声响起,圣婴诞生了!

约瑟从玛利亚身旁抱起圣婴(手工做的布娃娃),跪下来,抬起头向上帝祈祷。之后,他把圣婴放进马槽,去照顾刚生产完的玛利亚。

几个牧羊人上场了,唱诗班的小天使也上了台,站在马槽两旁,大声唱着:圣哉,圣哉,圣哉,全能的主神……歌声中,三位东方博士带着他们的礼物,在圣婴前献上他们的丝绸、香料和食物。

圣婴被约瑟高高举起!会众们也随之站立,随着唱诗班和舞台上牧羊人的歌声,一齐唱起圣歌,所有观众都沉醉在圣洁的情境里。

饰演玛利亚的威廉,感动得几乎流泪,他望着台下的父母亲,他们也正望着他,父亲朝他眨眨眼,母亲的脸上一直展露着温柔的笑容。威廉的心里,情绪如火一般地澎湃,他发现:戏剧是如此地感人!

## 理查德和威廉

圣诞节的一场戏，让威廉和理查德成了斯特拉特福的名人，大家都说他们演得好，两个男孩也因演戏的关系，拉近了彼此的友谊。空闲的时间，两个人喜欢到埃文河畔的树荫下，静静地聊天。

“威廉，你将来要做什么？”理查德问。

“我觉得演戏是件很有趣的事，你想想，本来对耶稣诞生的事，我只当作是神话，可是演玛利亚的时候，尤其当我们跪在地上祈祷的时候，我觉得神话已经变成真的了。”

“你喜欢玛利亚这个角色？”理查德笑着说。

“我不是喜欢这个角色，我是说，如果我演医生，我就会想医生该做的事；演国王，我可以真的像国王；演乞丐，我就会有乞丐的心情……这种角色的转变，是很好玩的游戏。”

理查德想了想，说：“虽然是好玩，但万一转变得不好，就什么都不像了！”

理查德比威廉年长三岁，懂得比较多。

“威廉，如果你真的喜欢演戏，可以去找牧师。我觉得牧师什么都懂，他又喜欢你，一定对你有帮助。”

理查德的话，打动了威廉，他想了想，高兴地说：“我们一起去！”

之后，一有空闲，两人就到圣三一教堂去找牧师。牧师知道威廉爱听故事、爱演戏，便建议他读《圣经》。牧师的道理是：“《圣经》里全是故事，而且，借着读《圣经》，可以认字。”

牧师把《圣经》拿出来给他们看，理查德好奇，翻开《圣经》，仔细看看：“啊，这么厚一本《圣经》，全是用手写的！”

牧师笑着说："这叫手抄本，是修道院里的修士一个字一个字地照着原本《圣经》抄写出来的！"

"那要花好多时间啊！"理查德睁着大眼，敬佩地说。

牧师笑笑，又说："听说有一个德国人，名叫古登堡[1]，是个珠宝工人，精于雕刻。他把字母一个一个地刻在小铅块上，再把刻着字母的小铅块，按照《圣经》上的句子和段落，排列组合后，只要用油墨一刷，刹那间，一整页的文字，就印出来了……"

理查德没有听懂，又问："这是什么意思？我不懂。"

"这个意思就是说，这种机器比起修道士的抄写，快速又方便，而且可以重复地印。有了这种印刷机，以后，大家都可以拥有《圣经》，都可以读到好书。"

"牧师，你怎么知道？"理查德仍有疑问。

"在伦敦，已经有人开始用这种机器印书了！"

"将来，我要到伦敦去印书！"理查德豪迈地说。

"将来，我要到伦敦去演戏！"威廉跟着说。

牧师说："伦敦是商业、经济和文化的中心，你们要去伦敦，要先把基础打好，才有前途。"

"怎么打？！"两个男孩异口同声地问。

"跟我读《圣经》！"

"读《圣经》，就可以打基础哦？"威廉疑惑地问。

"读《圣经》，可以帮助你们认识神，坚定你们的宗教信仰；读《圣经》，可以帮助你们认识文字。你们两个，一个要学印刷，一个要演戏，都

1 印刷术的发明人古登堡（1400—1468），是德国美因茨人，他用金属制成活字，加速了文字的传播。但是为了占有市场，这种技术在美因茨受到严格的保护，属商业机密。后来，美因茨遭到匪徒劫掠，印刷工人纷纷逃亡。二十年后，印刷术才传向欧洲。

是与文字书籍有关的行业，在你们去伦敦前，先到我这里读书认字。”

这一天，理查德和威廉怀着希望，满怀信心地离开教堂。这时候的他们，没有想到二十年后，两人真的都在伦敦发展，理查德是印刷厂的老板，威廉则是有名的诗人兼剧作家，而威廉的第一本长诗，就由理查德·菲尔德印行。

## 拉丁文

按照约定时间，两个男孩兴致勃勃去教堂认字读书了。

牧师拿出《圣经》，翻到第一页念了几句，全是外国文字，两个男孩听得一头雾水。

“牧师，我们听不懂！”威廉先说。

牧师笑起来说：“你们当然听不懂，这是拉丁文。”

“为什么要学拉丁文呢？”

“有两个理由：第一，我们还没有英文版的《圣经》[1]，所有的《圣经》都是用拉丁文写成的；第二，拉丁文是目前欧洲的共通语言，学好拉丁文，可以读懂希腊罗马的古典作品，会对你们帮助很大。尤其是威廉！”

“希腊罗马的古典作品，跟我有什么关系？”威廉问。

“当然有关系啦。譬如说，你喜欢演戏，你知道吗，戏剧的发源地就是希腊罗马。”

“真的？”威廉觉得越来越有趣了。

---

1 英文《圣经》的翻译者是威廉·廷代尔（William Tyndale），他是亨利八世时的拉丁文学者。1536年，他把《圣经》译成英文，被尊为“英文《圣经》之父”。但是因为印刷技术仍属启蒙阶段，英文《圣经》尚未普遍使用。

“演戏，是古时候希腊罗马人的敬神方式。”

“牧师，你怎么知道的？”

“我看书知道的。”

牧师看威廉对戏剧很有兴趣，继续告诉他：“古时候罗马的剧场，都在户外的圆形广场上演出，演员必须戴上面具……”

“为什么戴面具？”

“这个面具有传播声音的功能，戴上面具后，演员的说话声传得比较远，坐在后面的观众才能听得到。”

“好有趣哦！”威廉说。

“还有，演员都要穿上木头的高底长靴……”

“为什么？”威廉又问。

“因为古时候，还没有戏台，都是在平地演出，为了让后面的观众看得到演员，必须要穿上高底长靴。”

“那不是很重吗？”

“就因为鞋子太重了，演员不好走路，只得呆呆地站在台上演戏。”

“哈哈哈……”威廉笑起来，边笑边说：“面具……长靴……”

从笑声中，威廉领悟出一个道理，他大声地说：“读书真有趣！”

牧师立刻加上一句：“书里藏着无尽的宝藏！”

“宝藏，你说的是钱？！”两个孩子瞪大了眼睛。

牧师笑了，慢慢地告诉他们：“书里藏的宝藏，就是知识。有了知识，理查德可以去伦敦印书，你可以到伦敦演戏。知识不是比钱更有用吗？”

两个似懂非懂的孩子点着头，等牧师继续讲下去。牧师喝口水，又接着说："现在这个时候，欧洲最流行的风潮，就是阅读古希腊罗马的书籍，这叫'文艺复兴运动'。[1]"

"这个运动与我们有关系吗？"理查德问。

"最大的关系，就是你们要学好拉丁文！"

威廉坚定地点点头。牧师笑了，摸摸威廉的头，轻柔地对他说："学会了拉丁文，你可以读很多古典书籍，知道很多古时候的事情，知道戏怎么演，知道剧本怎么编。"

"编剧本！"八岁的威廉第一次听到编剧本这几个字，他好奇地问："怎么编？"

"等你认识了字，能自己阅读书籍的时候，你就知道怎么去编写剧本了。"

牧师的一番话，为威廉开启了他未来的道路。他开始认真学习拉丁文。

牧师把纸和笔给他们，要他们抄写一段《圣经》，再一个字一个字地解释给他们听，然后教他们发音。

每次，威廉都是准时到牧师那里，先认真地抄写，再专心地听讲和大声念，回到家里，一遍遍地复习。他的母亲看儿子这样用功，特地把阁楼的房间整理出来，摆上一张大桌子，专给威廉读书用。威廉有了自己的读书空间，学习得更认真了。

---

1 14世纪末，在土耳其半岛的东罗马帝国，受到伊斯兰军队的攻击，大批学者抱着古希腊罗马的艺术珍品，以及用拉丁文抄写的文本，逃到意大利避难。意大利人忽然发现，古希腊罗马竟有这么完美的艺术和丰富的学术思想，比中世纪的文化强多了。顿时，学者们掀起一股学习并研究古希腊罗马艺术的热潮，文艺复兴由此开始。

## 火焚所多玛

有一天，威廉读到《圣经·创世记》里诺亚方舟的一段，忽然间从他的脑海里浮现出诺亚的身影：一个高大、魁伟的身影，明澈的双眸、坚实的双唇、粗壮的双手。他把他的想象告诉牧师，牧师赞许地说："你已经抓住了诺亚的神韵。"

威廉对文字越来越觉得神奇，有些字有画面（名词）、有些字会动（动词）、有些字有颜色有表情（形容词）。他常常在阅读时，不自觉地掉入文字中，跟着书中的人物爬过高山、穿越红海、走过沙漠；借着阅读，让他与圣人共同经历一个有上帝、有魔鬼、有人性的奇妙世界。

有一天，当他们读到《创世记》里"火焚所多玛"的章节时，他的眼前似乎有一个舞台，书中的人物和景观，一幕幕地在他眼前出现……

他把这样的经验告诉牧师，他说："戏开始的时候，上帝知道所多玛是个罪恶的城市，就派他的两个使者去所多玛看看，到底是否真的罪恶深重。两个使者到达所多玛时，没有人理会他们，只有阿伯拉罕的侄儿罗德，把两位使者请到他家里，给他们食物、替他们洗脚、为他们准备夜宿的床和被子。结果，所多玛人包围罗德的家，大家喧闹，逼着罗德交出那两个人。罗德只好把他的两个女儿作为交换，可是所多玛人要的是那两个外来的使者。"

牧师看着侃侃而谈的威廉。小小年纪的威廉，闪着自信的眼神，神采飞扬地继续说着："之后，这两位使者告诉罗德，天火要烧尽所多玛这个罪恶的城市，要罗德带着家人，在天亮之前逃离所多玛。但是，千万记住，逃亡的时候，只能向前走，不可回头。"

"为什么不可回头？"牧师要考考威廉，故意问他。

“我想呢……”威廉沉思了一会儿，笑着抬起头，对牧师说：“不可回头的意思，就是不要留念罪恶！”

牧师非常惊讶，一个八九岁的孩子，竟有这般的领悟力。

威廉继续说下去……

“不幸的是，罗德的太太想到她在所多玛的财富，忍不住转过身，回头一看，看到了漫天的大火，所多玛已经在大火中被焚毁了。

“‘神的话是真的！真的有天火！’罗德的太太大叫。

“罗德和他的两个女儿听到了，却不敢回头，仍然低着头向前走。

“声音慢慢地消失了，在荒凉的盐山上，留着一个白色的盐柱：这个盐柱的形状像罗德的太太，她面向所多玛，睁着恐怖的眼睛，张着大嘴，一只手指向所多玛的方向。”威廉的声音忧伤地停住了。

“讲完了吗？”牧师问。

威廉点点头。牧师问：“罗德的太太张着嘴，表示她正在说话。你想，她会说什么？”

威廉不假思索地回答：“她可能会说‘罗德，真的有神哦！’”

牧师的眼睛一亮，这样的回答是他始料未及的，他以为威廉会说：“幸好我们逃出来了！”或者哭起来说：“我们的家毁了！”可是无论说什么，都没有这句“真的有神哦！”这么简短有力。

牧师还想考考这个孩子，他又问：“威廉，我再问你，火焚所多玛的事件，主要的重点是什么？”

牧师说完后，有些后悔，这个深奥的问题，对一个这么小的信徒来说，太难了！

可是威廉却认真地想，然后，有些羞怯地说：“上帝借着这个故事告诉信徒，听从神的话，不可贪图世上的财物！”

听到这样完美的回答，牧师从心里笑了出来：这个孩子有极高的想

象力，他是天生的剧作家！

剧作家的必备条件，是丰富的知识。威廉应该接受更多的教育。

“威廉，进学校去念书吧。正式的教育对你有好处！”

## 很快地拔出剑来

在回家的路上，威廉一直想着牧师的话，他决定去争取受教育的权利。

他告诉父亲：“我想去上学！”

他的父亲伏在一张大桌上，桌上散乱地堆着好几堆大小不一的手套。他右手握着剪刀，左手拿着一块黑色的小羊皮，在羊皮上剪出手套的式样。

“爸爸，我要进学校念书！”

“儿子，读书是有钱人家的事，我们靠手艺过活的人，只要一技在手，就不怕饿肚子。”

“可是，我喜欢读书！”

“读书能赚钱吗？”父亲有点生气了。

“爸爸，我喜欢读书！”

“读书有什么用啊？”

“书里藏着无尽的宝藏。”威廉想到牧师告诉他的话。

做父亲的犹豫了。

威廉的父亲——约翰·莎士比亚，虽然是手套制造商，在斯特拉特福却是个很活跃的人物。威廉出生之后，他做过市议员；威廉四岁的时候，他当选斯特拉特福的市长。

当时的英国正在大力推广教育，市长大人家的孩子特别优待，不必缴学费。不过，约翰还是不让威廉上学。最后，威廉请出母亲为他说情。母亲问他："威廉，跟你爸爸学手艺吧，在我们这个乡下，大家都靠手艺过日子，没几个人进学校读书的，读书有什么用啊？"

"我喜欢读书！"威廉只有这句话。

他的母亲妥协了。在母亲的劝说下，他的父亲也只得同意。

威廉进了埃文河畔的爱德华六世文法学校。

威廉终于进学校读书了。他父亲约翰告诉他，他的全名是威廉·莎士比亚。威廉是名，莎士比亚是姓。

他问父亲"莎士比亚"是什么意思。

父亲看着儿子，很自然地回答说："我们家从祖先开始就姓莎士比亚，我怎么知道是什么意思！"

几天后，威廉对他父亲说："老师告诉我，莎士比亚的意思就是'很快地拔出剑来'。"

"我们家的姓跟剑有什么关系？"父亲不解地说。

"那就是说，我们的祖先可能是武士。"

"武士是古时候的贵族哦！"做父亲的先是有些自傲，但再想想，自己还是有些不解。他说："我还是不懂，剑跟姓有什么关系？"

有机会发挥了。威廉有些得意地告诉父亲说："最早的时候，因为人口少，不需要姓，一般人只有名字。可是慢慢地，人口多起来了，相同的名字一多，就会混乱。譬如说，有一个威廉偷了东西，就说：'威廉是贼！'哪一个威廉是贼呢？叫威廉的人太多了，大家也搞不清楚，反正叫威廉的都倒霉，都有嫌疑。"

父亲一边用心听，一边点头，脸上带着笑意，心里在想：读书还真有用！

“大约在六百年前(约公元1000年左右),政府清查人口,发现同名的人太多了,规定在每个人的名字的后面,再加上一个字,作为区别。”

威廉的父亲听得正有趣,问儿子:“怎么加呢?”

威廉故意不说,要父亲想个方法。

父亲想了一会儿,摇摇头说:“想不出好办法。”

威廉慢慢地告诉父亲说:“有个聪明人想出个好办法。”

“什么方法?”父亲的兴趣被儿子拨动了。

“如果说,这里有五个威廉,长得黑一点的,就在名字的后面加一个黑字;白一点的,就加白字;个子高的就叫高个子威廉,做面包的就成了威廉·面包;喜欢拔剑跟人比武的,就叫威廉·莎士比亚。”

一番话说得父亲哈哈大笑,原来儿子读书后果然不同凡响,不但有知识,连口才也变得流畅风趣了!

莎士比亚(Shakespeare)这个姓是从Saquespee以及Saksper慢慢演变过来的[1]。这个姓在英国是个大姓,就像我们的赵、钱、李一样,分布得很广,到处都有。所以,当我们说到永远的诗人、英国剧作家莎士比亚时,要特别标明清楚地区,这个莎士比亚是沃里克郡(Warwickshire)斯特拉特福的莎士比亚。

沃里克是英格兰中部的一个郡。此郡在十四世纪时,曾是沃里克爵士的封地。壮观的沃里克城堡,规模宏大,堡前堡后的庭院,绿树成荫、层次井然;院中繁花似锦,贵族气象。堡内还收藏着精美的绘画和古时候作战的兵器,这里是英格兰中部主要的名胜。

沃里克郡的斯特拉特福(Stratford upon Avon)是个商业小镇,街道窄狭而弯曲,具古朴之美。一条清澈的埃文河静静地、缓缓地从这里流

1 Shakespeare前面的shake是摇动,后面的spear是矛。矛是把一枝坚硬的木棍前端削尖,用来杀敌,这是古代最原始的武器,到了青铜时期,才改进成更具威力的剑。

过。横跨埃文河上的长桥，有十四个半月形的桥孔，红砖的拱门形桥孔在蓝色的水面上，形成优美的弧度。河里有群鹅嬉水、有轻舟摇荡，一派悠闲。野花点缀的河岸、绿草如茵的草皮，放眼望去，尽是五彩缤纷的花花世界。埃文河畔有栋古色古香的圣三一教堂，莎士比亚在这里出生，也埋葬在这里。还有一所爱德华六世时设立的文法学校，就是威廉·莎士比亚读书的学校。

## 上学的日子

文法学校里主要的课程是文法、逻辑、修辞学和基本的古典学术四类[1]。四门学科中，威廉最强的是拉丁文，别的同学还在认字母时，他已经能阅读了。所以上课的时候，他常常无事可做，找同学讲话。

有一天，上课的时候，老师拿出一本书《我的时代》，叫他念。他念了几句，语调很好听，还有节奏。这是什么？他不懂。他困惑地放下书，看着老师……

老师说："威廉，这本书是古罗马时代最著名的演说家西塞罗[2]写的，写的形式是诗，你慢慢去读。"

"诗是什么？"

---

1 所谓文法，指的是拉丁文的听说读写；逻辑是思考的训练，也就是对任何事情给予正确的推理和判断；而修辞学是学习语言的使用和辩论；古典学术，就是阅读古希腊罗马的书籍。

2 西塞罗（Cicero）出生于公元前106年，是罗马的政治家、大法官、哲学家和演说家。他做过罗马的执政官；在哲学上，他传播了希腊的思想，他认为，要做一名成功的演说家，必须具备文学、法律、哲学、历史等各方面的学问。学问的用途不是冥想，而是行动。

The
Caunter
bury
tales

“诗是文字的音韵之美。美的东西，要亲身去感受，就像吃东西，吃了之后，才知道味道。”

“老师，一定要读吗？”

“有许多好书等着我们去读。”

“为什么先要读这一本书呢？”

“这本书可以帮助你了解自己的能力和潜能，帮助你找到未来的路。这样，才不会浪费时间。”

之后，只要是拉丁文的课，他就乖乖地坐在座位上埋头抄书，或是低声阅读西塞罗的作品。

一本好书，开启了威廉对文字的喜爱。尤其是诗，那种铿锵有力的音韵，让他享受到文字的结构之美。

威廉·莎士比亚从西塞罗的诗中，已经知道诗的表现方式和文字的魅力。他想成为诗人。

威廉写了几首诗，拿回家念给他父亲听。父亲摇摇头说：“儿子，你用英文念，我才听得懂啊！”

哦，他忘了他用的是拉丁文，他居然用拉丁文写诗，难怪父亲听不懂。他对自己说，我一定要把英文学好，要用英文写诗。他告诉老师，他要学写诗。

老师说：“要写诗，先读诗。”

老师就把杰弗瑞·乔叟（Geoffrey Chaucer）的《坎特伯雷故事集》（*Canterbury Tales*）[1]拿给威廉去抄、去读。

“乔叟是谁啊？”威廉问老师。

---

1 《坎特伯雷故事集》描述三十个不同阶层的朝圣者和领队（旅馆主人）要到坎特伯雷的圣托马斯神庙去朝拜。乔叟把这三十位同行的朝圣者，描写得极为生动、有趣，连他们所讲的故事，也都详细地记录下来。

“他是英国的诗人之父，是英国最重要的诗人。”

“重要是什么意思？”

“在乔叟之前，英国也有很多诗人，但是他们都用他们当地的语言写，结果，写出来的诗只有当地的人才懂。而乔叟用伦敦的语言写诗，好多人都读得懂，大受欢迎……”

“这很重要吗？”

“当然重要了，从此之后，所有的诗人，都仿照乔叟，用伦敦的语言写诗。就因为乔叟的带头作用，伦敦语言变成英国的标准语言。”

“他真是了不起！”威廉佩服地说。

“所以说，乔叟是统一英文的大功臣。”

威廉看着老师，心里想，我一定要把这本《坎特伯雷故事集》读完，这样，我才会使用伦敦的语言，而且，才知道什么是“最好”。

威廉在学校里仔细地抄、认真地学。回到家里，一遍遍地读，甚至像唱歌似地背诵。他的母亲经常在夜半人静时听见阁楼的声音，知道威廉还没睡，她会冲杯咖啡，小碟子里放几片面包，端上阁楼给威廉。

“威廉，你在唱歌吗？”

“不是，我在吟诗。”

“诗！威廉，你还会吟诗？！有学问的人才会吟诗。”

妈妈不敢再往下说……因为家里的工厂快要支撑不住了，家里没钱让威廉再念书了。

妈妈悄悄地到学校找到老师，告诉他工厂的事，以及威廉必须工作，来贴补家用。

老师知道后，把威廉找去。

“你知道你们家的手套工厂快关闭了吗？你有什么打算呢？”老师问。

“我是家里的老大，下面还有三个弟弟，我希望能对家里有帮助。”

“这么说来，你就不能上学了。”

威廉点点头，脸上是无奈的表情。

“威廉，离开学校并不表示停止学习，学校只是教我们读书的方法。只要学到这个方法，即使离开学校，仍然可以读许多好书。”

威廉点点头，他好想哭，可是他忍住了。

“老师，以后我还可以来找你吗？你会介绍好书给我读吗？”

“当然可以，我永远是你的老师！而且……”老师从桌上拿出一本书，交给威廉，“送给你，回家去读。”

“这本书是？”

“这是斯宾塞（Edmund Spenser）的《仙后》（*The Faerie Queene*）[1]，你一定会喜欢的。”

威廉看着这本厚厚的书，心里很激动。这是他拥有的第一本书，他爱惜地摸着书的封面。

“斯宾塞是伦敦人，是英国最伟大的寓言诗人。”

“什么是寓言？”

“寓言就是想象出来的故事，故事里有神仙，有动物或植物，动植物都会说话的哦！”

威廉似乎还有些不懂，老师就以书中的一个故事做比喻，讲给威廉听：“有一个骑士名叫圣乔治，他去参加一个国王的祭典，在典礼中他看见一位非常漂亮的公主，可是公主的脸上满是忧伤。你知道什么原因

---

1 斯宾塞以一位家喻户晓的英国传奇英雄亚瑟王追求仙后格罗丽亚娜的故事写成。这位仙后每年要在宫中举行十二天宴会，每天要派一名武士去解除民间灾难。而每一次的冒险行动，都有亚瑟王的参与。此外，每次出马的武士，代表一种美德，如虔诚、贞洁、友谊、正义等。

吗？”老师问。

“不知道。”威廉摇摇头说。

“原来啊，这位公主的爸爸妈妈被一条恶龙关在一座黄铜建造的塔中，你看过龙吗，威廉？”

“没有。”

“这条恶龙不但把公主的爸妈关在塔里，恶龙还会随意吃人，吓得老百姓不敢出门。于是田地荒芜了、市场关闭了，小朋友没有地方活动，整个国家被这条恶龙扰得失去秩序。这位公主没有能力救她的父母，也没有能力救她的人民，只得周游列国，希望找一个武功高强的侠义之士，来解救她的父母和人民。”

“后来呢？”威廉听得入迷，想知道结果。

“这位骑士决心为民除害，寻找恶龙。在寻找的途中，动物、植物都善意地提供讯息，骑士找到恶龙，历尽艰辛，终于消灭了恶龙。国家又恢复了平静，人民又可以过上平安快乐的日子……”

“老师，动物、植物和恶龙真的会和人讲话吗？”威廉不解地问。

“这都是作者想象出来的，是寓言的一种形式。好好地读它，有困难，随时来找我。”老师说。

“会的，一定会！”威廉感动得几乎流出泪来。

## 屠夫的助手

1577年，威廉十三岁那年，他父亲的手套工厂倒闭，威廉退学，帮助家里渡过难关。退学之后的威廉，急着找份可以赚钱的工作，有个宰杀牛只的屠夫需要一名助手，威廉得到了这份工作。

屠夫汤姆是个四十多岁的胖子，爱喝酒，酒喝多了，脸上总是泛着红光，白眼珠上绕着红丝。走到哪儿说到哪儿，嗓门很大，只要有他在，听到的都是他的声音。

他的屠宰场，在空旷的野外，四周有圆木头围住的栏杆，围场内有一排搭了黑色瓦片的棚子，棚子下面关着待宰杀的牛只。杀牛的地方有几块超大的石块、几把超大的刀斧，还有盛满水的大水缸，以及存放肉类的木桶等工具，这里就是汤姆宰杀牛只的屠宰场。

还有一个最重要的地方，那个地方其实只有一张大方桌，桌子上方恭恭敬敬地挂着一个木质的十字架，这是屠牛场最神圣的地方。每当他要宰杀牛只时，会先跪在桌前祈祷，要上帝赦免他的罪行，因为他是为生活而杀。而且，他顺从上帝的命令，把要卖掉的牛肉洗得干干净净，绝不留有血迹。

威廉的工作就是清洗宰杀后的肉类。

“一定要洗得很干净，不可残留一丝血迹！”汤姆严肃地命令！

“为什么？”威廉不懂。

“因为《圣经》上说，你不可吃有血的肉，你懂吗？”

“不懂！”

“那就是说，我们只能吃肉，不可吃血！”

“可是肉里本来就有血啊！”

“所以，你一定得把它洗得没有一丝血迹！”

这实在有点难，无论用什么方法洗，肉上总是滴着血。威廉洗烦了，就自言自语地大声说：“汤姆为生活杀牛；威廉为生活洗血！”

汤姆听到了总是大笑，然后慢条斯理地说：“孩子，这是原则！”

屠夫汤姆是个有原则的人，他在杀牛之前，总是把要被宰的牛只仔仔细细地看个清楚，如果太瘦，汤姆在祈祷时便会对上帝说：“这只牛一

定有病，活不久了，我现在把它杀了，神啊，您接它到天堂去休息吧！”

不论是胖牛、老牛、跛了腿的牛，或是瞎了眼的牛，汤姆都可以找出杀它的理由。有一次，汤姆看到一只健壮又年轻的公牛，汤姆居然说：“神哪，它太帅了，所以我要把它献给您！”

在一旁的威廉，笑得在地上打滚。

汤姆对这个助手，也有他的付钱原则。他对威廉说：

“我每杀一只牛，有固定的工钱。我的原则是，不论我杀得多或杀得少，只要是杀牛的工资，我全部都交给老婆、由她支配。”

“你到酒吧喝酒的钱，也是你老婆给你吗？”

汤姆斜着眼，脸上现出怪异的表情，然后从清洗干净的肉中取出一块对他说：“这块肉，就是我的酒钱！”

“我的钱，你怎么付？”威廉问。

屠夫汤姆又找到一块大肉，拎在手上，对威廉说：“你每天来这里做我助手，工资就是这么大一块肉，卖多少，是多少。不卖，你可以拿回家给家人吃。”

“你把偷来的肉给我做工资！”

“上帝在上，我怎么会偷。”

“我也是个有原则的人，绝不吃偷来的肉！”

“小兄弟，你听我说……”

原来，替人杀牛的工资是很少的。牛只主人愿意付出一小部分的肉作为补偿，汤姆的酒钱和威廉的工资，就是这么来的。

“这样说，还差不多！”威廉同意拿肉了。

“小兄弟，我越来越喜欢你了！”

屠夫汤姆每天夜半开始宰杀牛只，威廉开始洗肉，等到天色微亮时，一桶桶清理干净的牛肉，已经分门别类地摆在大木桶里，等着牛只的主人来提货了。牛只主人把属于自己的几桶牛肉提上马车，赶着马车到市场去出售。等这些牛只主人走了之后，第二拨客人来了，他们是来向汤姆买肉的。

威廉的眼睛盯着属于他的那块肉，贴心的汤姆总是先把威廉的那块肉卖掉，把卖出的钱交给威廉，然后再卖属于他自己的那块肉。威廉也越来越喜欢屠夫汤姆了。

喜欢汤姆的另一个原因，就是汤姆有好多八卦，谁家的女儿有几个男朋友、谁家的老婆漂亮、谁家的男人有外遇、谁家买了新房子、谁家的钱是怎么来的……每次听汤姆口沫横飞地谈论人家的事情时，威廉觉得，汤姆的脸上几乎都是嘴巴，每张大嘴都在抢着讲话。

但是，汤姆也有严肃的时候。他对威廉说："听说，你的拉丁文很好，我还听说，你很爱读书！"

威廉点点头。

"小兄弟，不论多忙，都要抽出时间做你喜欢的事！"

这句话深深地刻在威廉的心上。从那天开始，威廉每天中午回到家后，就开始抄书、读书。两年的时间，把老师送他的斯宾塞的《仙后》读得几乎可以把全本书倒背如流。

## 伦敦的理查德·菲尔德

威廉十六岁的时候，有一天早晨，当他在屠夫汤姆处贩卖牛肉的时候，忽然过来一位瘦瘦高高的年轻人，年轻人穿着挺直的白色衬衫、黑色的西装长裤和发亮的皮鞋，走起路来，风度优雅。当他看到威廉时，脸上堆起笑容。

威廉一直望着他。在他的印象里，他没有见过这样高雅的客人，也没有这种朋友，可是，这个白衣黑裤的年轻人一直对他微笑。

威廉朝他走去。忽然间，两个人拥抱在一起。

“威廉，我是理查德·菲尔德。”

理查德·菲尔德就是那个要去伦敦学印刷术的人。他已经在伦敦的一间印刷工厂工作。他告诉威廉，他的这份工作，让他有机会接触到许多好书和写书的作者。

“威廉，到了伦敦，才知道这个世界有多好。”

“告诉我伦敦的情形……”

“在伦敦有好多演戏的地方，在伦敦可以买到一本本用机器印出来的书，又便宜、又好看，你看！”

理查德把手上的两本书交给威廉。威廉翻开其中一本，仔细地看。

“这不是用手抄的字！”威廉惊奇地说。

“这两本书都是我们工厂印的。一本是意大利文人弗吉尔（Polydore Vergil）用拉丁文写的《英国史》（*Anglica Historia*），我听很多学者说，这本《英国史》里有丰富的历史资料，我还听一位编剧家说，他用这本《英国史》里的资料来编写剧本。”

“演戏用的剧本吗？”

“是的，伦敦人都喜欢看戏。威廉，到伦敦来找我，我带你去看戏，带你认识编写剧本的剧作家。”

威廉高兴地握着理查德的手，然后低下头看另一本书，书名是《乌托邦》（*Utopia*）。

“乌托邦是什么意思？”威廉问。

“乌托邦在拉丁文里是‘不存在’的意思。作者为世人描绘出一个他想象出来的国家。这个人间乐土的名字就叫‘乌托邦’。”

“什么是‘作者’？”

“‘作者’就是写这本书的人。《乌托邦》的作者是英国人托马斯·莫尔（Thomas More）。”

威廉把书翻了翻，奇怪地问：“他是英国人，为什么不用英文写，而用拉丁文写书？”

“拉丁文是现在最通用、最流行的文字，这叫作‘文艺复兴运动’。”

“什么意思？”威廉不解。

“就像好久以前牧师告诉我们的，整个欧洲的文人，都在研读古希腊罗马的书籍，研究他们的生活和思想。”

“可是我们已经读过了。”

“威廉，我在印刷厂工作，才知道好书是读不完的，所以爱读书的人最幸福，永远读得到好书。”

威廉用手轻柔地摸摸书皮。“《理想国》[1]，我喜欢这本书。”威廉说。

“我知道你喜欢，因为我们都是有理想的人。”说到这里，理查德停了一停，有些结结巴巴地问：“威廉，你将来还要演戏吗？”

威廉点点头。理查德笑了，紧紧地握着威廉的手说：“那么，我们在伦敦见！”

## 约翰·莎士比亚

威廉很想赶快飞去伦敦，见识一下理查德所说的伦敦。可是，他离

1 公元前411年，柏拉图以对话体的形式，记录了苏格拉底与友人间的辩论，写成了《理想国》这本书。

不开斯特拉特福的家。他父亲在生意失败后，整个人像泄了气的皮球，只会哀声叹气，什么事都做不了。

威廉问妈妈：“爸爸得了什么病？”

妈妈生气地说：“他没病找病！”

威廉也不知道爸爸到底是有病还是没病，但有件事是可以确定的：那就是他家的手套工厂关闭之后，他父亲的那一堆老朋友忽然不见了，即使是隔壁邻居，也很少找他聊天。他父亲是个爱热闹又爱面子的人，钱没了、朋友少了，这样的日子既不热闹，也没面子，实在难过，他脸上的笑容消失了。他的父亲看似没病，脸上却是紧皱双眉、堆满愁容，真像有病的样子。

看到一向欢乐的父亲失去欢乐，威廉很心疼。从屠宰场回家后，他总是找话题和父亲聊天。

“爸，我的祖父是什么样子的人啊？”威廉问。

“你的祖父是全斯特拉特福最勤劳的人！”

“我外公呢？”

“你妈妈的爸爸，是斯特拉特福的大地主，土地最多的人！”

“我妈呢？”

“你妈是斯特拉特福最有钱、最漂亮的女人！”

“爸爸，你呢？”

“我是斯特拉特福最帅的聪明人！”

“真的吗？”威廉故意把尾音拉高，表示不赞同父亲的大话。

“你想想，我能娶到斯特拉特福最有钱、最漂亮的女人，我当然是最帅最聪明的人啦！”

父子俩哈哈大笑。

“儿子，我问你，你将来要做什么样的人？”

“我啊……我要做全世界最有名的演员！”威廉不假思索地回答。

“哈！哈！哈！我们一家都是最……最的人！”

难得父子俩笑成一团。

约翰·莎士比亚说得没错。他的妻子，也就是威廉的母亲，名叫玛丽·阿登。阿登家从很久以前就是斯特拉特福的大地主。

阿登家在斯特拉特福拥有大片的土地，需要雇用工人来种地耕耘。因为工资优厚，有一个远从四公里外来的工人，在阿登家谋得一份佃农的工作，这个人名叫理查德·莎士比亚，他就是威廉的祖父。

理查德工作努力，在斯特拉特福买下一栋小房子，把儿子约翰接来斯特拉特福，并安排约翰跟一位手套师父学手艺。约翰聪明，学会了手套制作后，自己开了个手套工厂，并兼做手套的买卖生意。

约翰读过一点书，人也长得英俊，说话风趣幽默，还喜欢结交朋友。

不久，约翰爱上了大地主的女儿玛丽。之后，两人结了婚。

大地主罗勃·阿登过世时，把大部分的财产留给女儿玛丽。有钱之后，约翰在亨利街上买下一栋大农舍。1564年4月23日，他们的长子威廉·莎士比亚就在这栋房子里出生。

娶到玛丽，是约翰人生中重要的转折点。请看当地市志中，有关约翰的记录：

1561年，当选斯特拉特福的社团负责人（在地方上很活跃）。

1565年，当选市议员（有妻子儿子后，在地方上小有名气）。

1568年，当选市长（成为地方上有权有势的名人）。

1577年，有财务困难的证据，被列为穷人而得以免税（工厂倒闭、人生的低潮）。

约翰说他是斯特拉特福最帅的聪明人，说的是真话。

## 印象伦敦

自从跟父亲说过，将来要做一个全英国最伟大的演员后，威廉想起了好朋友理查德·菲尔德的话：“伦敦的人都爱看戏。”

有这么多人爱看戏，伦敦的戏到底演些什么？威廉很想知道，也很想到伦敦去看看“伦敦的戏”。

他跟父亲说，他想到伦敦去看理查德。父亲对他说，只要有车钱，就可以去！为了筹措车钱，威廉找屠夫汤姆商量。

“你的车钱，由我负责！”汤姆爽快地说。

“你的钱不是全都交给老婆的吗……”

“我还有酒钱啊！”

“那不是你喝酒用的吗？”

“酒可以两天不喝，伦敦一定要去！”汤姆斩钉截铁地说。他真是个有原则的人。

就这样，威廉去了趟伦敦。

在理查德的印刷厂，威廉亲眼看到机器的惊人速度。理查德告诉他：“自从用机器印书之后，全英国读书认字的人增加了一倍。”

理查德又带威廉去看泰晤士河，以及河岸边的伦敦塔。理查德告诉他：“这是伦敦的标志：伦敦塔。”

“好高的围墙啊！”威廉惊叹地说。

“这里是英国皇家的要塞！”理查德的口气，听起来好像他什么都知道。

“为什么叫伦敦塔？里面有塔吗？”威廉问。

“有啊！内城墙上有十三座塔楼，外城墙上有六座塔楼和两座堡垒，四周还有护城河。”

威廉看看理查德，他非常佩服这位伦敦通。威廉再问：“有护城河、有堡垒，这是谁想出来的？”

理查德太高兴了，因为他读过这个资料。他说：“这座伦敦塔，是征服者威廉一世时建造的，当时造这座塔的目的是为了做皇家要塞，保护皇室之用。之后，伦敦塔变成了国家监狱，亨利四世就是在这个塔里被毒杀；女王的母亲安·波琳王后，也是在这里上了断头台！”

“你说的女王是谁？”威廉问。

“就是现在的伊丽莎白女王啊！”

“哦……”威廉想起他读过的《英国史》。原来，事件真的就在这里面发生过。

“理查德，我觉得伦敦是个有历史的地方！”

“威廉，伦敦也是个文化古城！”

理查德带他去看戏。看戏的地方，是一条弯曲的山路，沿着山路停了几辆棚车。这些棚车上，有的布置成森林、有的布置成客厅……理查德带威廉看的是《殉情记》。

他们站在第一辆棚车前，看见一对男女在森林里谈情说爱，并约好第二天黄昏时，仍在此约会。

演完这一段后，理查德带威廉到隔壁的那辆棚车前继续看。第二辆棚车演的是女主角在她家里打扮，当她披上白色披风出门时，不小心打翻了一瓶红色的水，她的白色披风染上了一片红色。

演到这里，理查德和威廉随着棚车前的观众自动走到第三辆棚车

前。第三辆棚车演的是披着披风的女主角跑到森林时，忽然出现一只熊，女主角看见大黑熊，吓得赶快跑走。跑的时候，披风掉在草原上，黑熊粗鲁地把披风撕破。

然后，观众再转到第四辆棚车。这时候，男主角出现了，看见撕得破碎的披风，和披风上的那片红色，以为他的爱人被森林里的野兽吃掉了，当下痛哭出声；哭完之后，随手拔出衣袋里的刀，割颈而亡。当男主角倒下时，女主角出来了，她是赶来赴约的，结果发现爱人死在她的披风上。伤心之余，她拿起爱人的刀，也自杀殉情了。

“理查德，伦敦的人都是这样看戏的吗？”

“那是因为伦敦的街道狭窄，为了节省换布景的时间，只好在棚车上演戏，这叫作‘流动剧场’。”

“但是这样演出，虽然故事是完整的，可是看剧的感觉被切断了，而且观众来回走动会影响看戏的心情。”

威廉的话讲得有道理，看来是个有判断力的人。

“威廉，这种棚车式的流动戏台虽然有缺点，但是很方便，只要有空地，就可以到各地演出。”

“都演相同的剧目吗？”

“那就不一定了，看政府有没有新的命令颁布。”

“戏剧和政府有什么关系？”威廉问。

“凡是政府颁布新命令或是新规范时，或是国家发生了什么大事，为了让民众知道，就用演戏的方法向民众宣传，这就是戏剧的功能。”

“在伦敦有没有固定的戏台？”威廉问。

理查德说有，然后带威廉去看。那是一个靠近城市边缘的小旅馆，旅馆虽小，庭院却很大，庭院四周筑起很高的围墙。他们买了票，进到剧场。剧已经开演，用木板搭建的戏台上挤满了人。威廉走近戏台，才看清楚，原来戏台是靠墙搭建，靠墙的一面，挂上长长的花色布幕，演员从布幕的两边进进出出。

“这块花布是作什么用的？”威廉问理查德。

“这块花布是布景，你可以把它想成森林，也可以想成房屋。如果演出丧事，就用黑色的布幕，表示哀悼。”

威廉在场子中走来走去，想看清楚戏台上到底在演什么戏。可是戏台周围还摆着椅子，有好些人就坐在戏台上看戏。

威廉问：“坐在戏台上的那些人，是什么人？”

“他们也是观众。”

“观众还可以坐在戏台上啊！”威廉太惊奇了。

“对啊，戏台上的座位是专为有钱有势的人安排的位子。”

“可是，他们这样一坐，在场子里的观众就看不见啦！”

“谁叫我们买的是站票，只能在场子中站着看。”

威廉走近戏台，从椅子的夹缝中看演员表演。看了一会儿，他对理查德说：“我懂了，我懂这个道理了。”

“什么道理？”

“那些有钱有势的人为什么要坐在戏台上。”

“为什么？”理查德还是不明白。

“他们不是来看戏的，他们是来被人看的！”威廉讲完，自己笑了出来。

“有道理！”理查德也笑了。

“理查德，我跟你说笑的啦！真正的原因是，坐在台上才听得到演员说话的声音。”

两人正说着话，忽然天空飘下了毛毛细雨。细雨飘下来，有伞的观众撑起雨伞继续观赏，没伞的观众大都走了。威廉还想看下去，只是细雨

越下越急，越下越大，剧场的泥地上出现了一潭潭的黄泥水。这就是当时的露天剧场。两人步出剧场时，身上已湿了大半。

“理查德，今天到底在演什么啊！”威廉问。

“我们一面看戏，一面讲话，还要避雨，说真的，我也看得糊里糊涂。你呢，看懂了吗？”

“我虽然没看懂，但至少我看到了伦敦的露天剧场。”

理查德一听，觉得有些丢脸，赶快说：“威廉，伦敦还有一家‘唯一剧院’，那是全伦敦最好的剧场，有最好的演员。听说现在正在上演一部希腊古典剧，叫《帕里斯》（*Paris*）[1]。

“帕里斯是什么人？”威廉问。

“看了就知道了！”理查德没看过，只得这么说。

“票价很贵吗？”

“当然很贵，不过你读过许多希腊古籍，也应该去看看古典剧。”

他们决定去“唯一剧院”看《帕里斯》。

唯一剧院建在泰晤士河边，远远看去，一大片黑瓦的屋顶十分宽阔。走进剧院，戏台场中的地上铺着木板；黑色丝绒的座椅，一排排地整齐排列，所有的观众都坐在场中的丝绒座位上。威廉和理查德找到自己的座位。威廉舒服地坐在有靠背的座位上，抬头看看，戏院的屋顶下还加上一层格子花纹的天花板。威廉静静地看着这个豪华的剧院，心里好满足。

当的一声，整座剧院静了下来。接着，戏台上披着长布条的演员出场。

---

1 帕里斯本是特洛伊王子，只是在他出生时，他母亲做了一个奇怪的梦，解梦的人说：“帕里斯会引起国家大难，甚至亡国。”为此，母亲便把帕里斯抛弃在伊德山中。帕里斯吃着熊奶长大，长大之后，便在山中放羊。

"演员为什么披着布条？"威廉轻声地问。

"可能是古时候的希腊服装。"理查德也轻声说。

在这个剧院里，演戏就是演戏，看戏就静静地坐在场中看戏，没有大声喧哗或是来回走动的观众。威廉看着戏台上的演出……

原来，这是一场婚礼：结婚的是海神的女儿忒提斯和人类的儿子佩琉斯，主持婚礼的人，正是希腊天神宙斯。

客人陆续上场，每位客人都呈上贵重的礼物。忽然，进来一位漂亮的女神，这位女神的手上拿着一个金苹果，金苹果上写着几个字："给最美丽的女神！"

为了得到"最美丽女神"的尊称，当场就有爱神、战神和天神的太太赫拉争夺这个金苹果；争来争去，没有结果，就请天神宙斯作裁判。宙斯想，这个金苹果判给谁都会惹麻烦。天神不想自找麻烦，就对三位女神说，有一个年轻人，名叫帕里斯，他在伊德山中放羊。他有闲，又有眼光，你们三位去问他，他一定能给你们正确的裁定。

三位女神到了伊德山，果然见到帕里斯。

赫拉说："你只要说我最美，我送你权势！"

战神雅典娜说："我送你百战百胜！"

爱神维纳斯说："我送你天下最美的女人！"

在山上放羊的帕里斯不需要权势，也不会去打仗，他需要的是天下最美的女人和他作伴。

帕里斯把金苹果给了维纳斯。维纳斯把天下最美的女人海伦给了帕里斯。当时的海伦，已是有夫之妇。她的丈夫是斯巴达的王子。

特洛伊王子抢走了斯巴达的王妃，简直欺人太甚！斯巴达人向特洛伊开战，要抢回海伦。这就是特洛伊（Troy）战争的原因。

两国开战后，没有拿到金苹果的战神雅典娜，当然站在斯巴达这

边。斯巴达“百战百胜”，特洛伊当然是“百战百败”了。

这个剧发展到后来，就是一般所称的《木马屠城记》或《特洛伊》。这个故事就是从希腊神话改编而成。

戏演完了，全场掌声不断，威廉对理查德说：“原来伦敦人对古希腊罗马的文化这样着迷！”

“不只是伦敦，是整个欧洲。”理查德补充说。

“这就是牧师说的文艺复兴运动吗？”威廉问。

“可能吧！”

“牧师说过，希腊罗马是戏剧的发源地，今天看了这场戏，才真正体会出戏台上的力量！”威廉诚心地说。

“加油吧，威廉，以后看你的喽！”

威廉笑笑，嘴里很想说：“绝不会让你失望。”

这种感触，是威廉这一次到伦敦最大的收获。他告诉自己，回到斯特拉特福后，他要多参与戏剧的活动。

## 临时演员

斯特拉特福虽然是个乡村，但是距离伦敦很近，伦敦的许多剧团常来斯特拉特福演出。斯特拉特福没有固定的大场地，所以伦敦来的剧团几乎都借用圣三一教堂内的场地演出[1]。威廉找到牧师，把他在伦敦的感受告诉牧师：“本来我只想演戏，现在我想尝试编剧。”而且他还请牧师帮忙，如果知道剧团有缺人手时，赶快告诉他，让他有学习的机会。

1 戏剧的起源是因宗教的敬神与祭祀，所以戏剧演出的场所，最早是在寺庙前的广场或教堂内。

有一天快到中午时，牧师到屠夫汤姆处找到威廉，告诉他当晚在教堂有剧团演出，可是他们有个演员忽然因病不能来，请牧师帮他们找个临时演员。牧师问威廉要不要去试试看。威廉也不懂临时演员是什么，但是，总要有个开始吧。威廉和牧师回到斯特拉特福，直接去到剧团，剧团的团长正焦急地等着人。

"你要的人我给你找来了，他叫威廉·莎士比亚。"牧师说。

团长看威廉是个十七八岁的男孩，面貌清秀，五官端正，体型高壮，很适合剧中的角色。

"你认识字吗？"团长问。

威廉点点头。

团长拿出一张纸，纸上写着《罗德的女婿》。

"罗德，好熟的名字。"威廉心想。

团长叫威廉念上面的句子。

威廉照着纸念：

"今夜我们就把东西收拾好，明天一早就离开这里。"

"你爸爸发疯，你也跟着发疯，我才不信！"

"神的话，你也不相信！"

"我不相信，神为什么要用天火毁掉……"

威廉念到这里，抬起头，问团长："这是火焚所多玛？"

团长说："对！你读的这段，是罗德的女儿和她丈夫的对话，劝他丈夫和他们一起逃离所多玛，她丈夫不相信，不愿离开所多玛。"

"我演这个角色？"威廉问。

"你演罗德的女婿，只有两场戏。"

威廉静静地听。

团长继续说："第一场，是罗德告诉你们有天火的讯息，你要有惊

恐的表情；第二场，就是你妻子劝你逃走时，你不相信，也不愿离开所多玛，说的就是这几句对话。然后，摇着头，笑嘻嘻地跑下台。就是这样，有问题吗？”

“没有！”威廉认真地回答。

“走吧，我们到后台去准备！”

团长带威廉走到后台，对管衣箱的老人说：“给他换上罗德女婿的衣服。”

老人打开箱子，从里面拿出几件戏服，叫威廉穿上。

威廉在换衣服的时候，发现许多男人来换女装。

“为什么不找女人来演女人啊？”威廉好奇地问。

“政府有规定，女人不可以上台演戏。”老人说。

“为什么呢？”

“政府规定的，可能怕影响社会风气吧。”老人说。

威廉不懂，演戏和社会风气有什么关系！或许就是这个理由，他才有机会在圣诞节的晚上扮演玛利亚，开启了他对戏剧的热爱。

换好戏服后，演他妻子的男子过来跟他说“哈啰”，教他走台步，两人对台词。男子对他说：“讲台词的时候，对火焚所多玛的事，完全不相信，以为罗德说的是戏言。心里这么想，才能把表情和语气表达出来。”

听了资深演员的指导，他才体会出一个演员的基本态度：要在上台前，培养情绪，把自已彻底忘掉，融入剧中，变成剧中人。威廉抓住这个要点，乖乖地向后台总管报到。总管要他坐在上场门的旁边，静静地背台词。

那一晚，威廉正式走上舞台。那一晚，威廉学到很多。除了演戏，最重要的是，他知道了什么是剧本！

原来剧本分三种：一种是整出剧的完整剧本，是给团长、后台总管和导演专用的剧本；一种是单张的台词，就像团长叫威廉念的那张，那是专给扮演那个角色的演员用的；另外一种剧本比较特殊，只给后台的门监使用。门监专管演员的上场，所有要上场演出的演员，必须先到门监处排队等候，到了该上场的时候，门监一个眼神、一个手势，演员就必须出场，分秒不差。门监是个重要的关口。

## 提词人

这一次的表现太好了！不久，牧师又为他找到另一个机会。这次是做后台的提词人[1]。

这份提词人的工作，威廉做得还算成功，原因是他的伦敦英语说得相当正确，任何演员都听得懂。另一个原因是，提词人必须先把整个剧本读上好几遍，确定每句台词都会念，而且还需了解情节的进行。对威廉来说，他读过许多好书，但是没读过剧本。这样难得的机会，让他学到了写剧本的方法。

为了好玩，也或许是为了感谢牧师，威廉把圣经里“诺亚方舟”、“戴维王”、“所罗门王”、“最后的晚餐”以及“复活的耶稣”等故事编成剧本，送给牧师，作为教会庆典的演出。牧师说他编得非常好！受到鼓励后，威廉更有信心了。有一次，他把亚当夏娃的两个儿子“亚伯和该隐”编成剧本，牧师看过后，居然把剧本送到剧团，请剧团团长给个评论。团

1　提词人的工作是帮演员记台词，所以提词人经常躲在布幕的后边，有一盏黄晕晕的灯照着剧本。提词人坐在小凳上，一面看着剧本，一面注意前台演出的情形，当演员在说台词之前或是忘词的时候，他可以轻声地先提几个字，帮助前台的演员顺利地把话说流畅。

长看完后，马上买下剧本。

威廉越写越有心得，他把理查德·菲尔德送他的《英国史》详细读过后，从里面找出有趣的历史片段，编成剧本。牧师把它们卖了出去，不但有实质的金钱收入，更重要的是，让他对剧本的编写有了信心，且兴趣日浓。

十七岁以前的威廉，曾是学校里爱读书的学生，是屠夫汤姆喜欢的助手，现在则是全能的临时演员和编剧，也是莎士比亚家族中最认真念书的一员。

## 安妮·哈撒韦

在斯特拉特福的圣三一教堂，有一份有关威廉·莎士比亚的记录：

1564年4月26日，莎士比亚出生。

依当时惯例，婴儿出生后三天要到教堂受洗。所以从受洗的日子向前推三天，威廉出生的日子应该是4月23日。

此外，在当地的主教区，还有一份威廉的结婚证明：

1582年的11月28日，威廉·莎士比亚与安妮·哈撒韦结婚。

证书上的新娘二十六岁，新郎只有十八岁。按照英国法律，男子十九岁才属成年。所以两人的结婚许可书，先在教区的教堂内公告三个星期。在这段时间内，如果无人反对的话，才可以结婚。

没有任何人反对他们，十八岁的威廉顺利地娶了新娘，成为有家室的男人。

安妮·哈撒韦是何许人也？在斯特拉特福的市志中没有任何记录；同样地，新娘的父母或家庭背景，也没有任何资料可查，只知道1583年5月23日，哈撒韦生了一个女儿，取名苏珊娜。这时候的威廉，只有十九岁。1585年2月2日，哈撒韦又生了一对龙凤胎，男孩取名哈姆尼特，女孩取名朱迪思。这时候才二十一岁的威廉，已经是三个孩子的父亲了。

再加上他的父亲约翰、母亲玛丽和威廉的三个弟弟，这三代人加在一起，连威廉在内，总计十个人。这样一个大家庭，日子要怎么过？

威廉想尽办法，在文法学校找到一个拉丁文助理老师的职务，然后离开屠夫汤姆的屠宰场，做一位专业的教师。威廉还利用空闲的时间，把以前抄写下来的数据以及理查德送他的书，编成剧本。有剧团来斯特拉特福演出时，威廉就带着他的剧本给剧团团长评估，如果剧本合适，团长会出钱买下；万一不合适，团长会好心地指出剧本的缺点，威廉立刻改写，再找机会卖掉。威廉这么做，一方面是可以靠剧本赚些钱，更重要的是，他能跟伦敦来的剧团维持良好的关系。

威廉白天教拉丁文，晚上写剧本。他的太太安妮·哈撒韦还会吩咐：

"威廉，哈姆尼特哭了，你去抱抱他！"

"威廉，陪朱迪思去睡，小心她从床上滚下来！"

"威廉，别发呆了，给苏珊娜讲讲故事！"

"威廉，你爸爸……他今天又喝酒闹事了……很烦人！"

"威廉，你这么点钱怎么够用啊！"

威廉累了一天，刚回到家，安妮总是对他下命令……

有时候，威廉真想离家远一点。

# 《杜拉克爵士》

剧团又来了。这次来的剧团是从伦敦来的女王剧团，演出的剧名是《杜拉克爵士》。

威廉又拿着剧本去找女王剧团的团长。团长看了几页，对他说：

"你用的英文是伦敦语言，你去过伦敦吗？"

"我只去过一次。"

"住过很长的时间吗？"

"没有，只有两天。"这两天，就是理查德·菲尔德带他逛伦敦的日子。

"那……你的伦敦英语是怎么学的？"

"我是读乔叟的《坎特伯雷故事集》学来的伦敦英语。"

团长点点头，想想又说："你的语言用得很好，只是剧情抓得不够精确。"

"没有人教我，全是我自己想出来的。"

没人教，却能写到这种程度！团长有些感动。

"你应该先当演员，有了舞台经验后再写，会更好。"团长语重心长地告诉他。

"其实，我喜欢演戏，只是没有机会。"威廉有些胆怯地说。

"真的？"团长笑起来。稍作考虑后，接着说："那么，你就到我们女王剧团来吧。"

"太好了！"威廉点头答应。

"我们奉女王的命令，这次演出的《杜拉克爵士》是要到各城镇巡回演出的，为的是倡导我们英国海军打败西班牙无敌舰队的消息。"

“什么时候发生的事？”

“今年，1588年。”团长骄傲地说。

“那么，杜拉克爵士是谁？”

“他就是率领英国海军打败西班牙的英雄。”

“他是位伟大的军人吗？”

“是的，他是伟大的军人，也是凶悍的海盗！”

“军人与海盗，是有冲突性的身份，这个戏剧一定很动人！”威廉老气横秋地说。

“这样的戏，能引发国人的爱国情操！”

“所以要巡回表演。”

团长点头微笑，诱惑地问：“要加入吗？”

威廉想了想，告诉团长：“我现在是学校里拉丁文老师的助理，我想，他一定会答应我辞职的，因为他知道我最想做的就是演戏。”

“拉丁文，你还会拉丁文？”团长问。

“是的，我读过西塞罗的《我的时代》，还读过弗吉尔用拉丁文写的《英国史》，以及托马斯·莫尔的《乌托邦》。”

威廉说完，团长对他真是另眼相看。一个乡下孩子，能够读得通这些艰涩的书，不容易啊！难怪剧本写得也不错，他的剧团正需要这种人才。他想了想，告诉威廉：“你到了我们剧团，有两份工作给你：一份是演员，一份是编剧。也就是说，我给你两份薪水。”

威廉高兴得几乎跳了起来。

当天，威廉就到学校辞去助理教师的工作。然后回到家里，收拾了一些随身衣物，没有告诉任何人，也没向父母和妻子说声再见，因为他知道，家里的人是绝不会答应他走的！他有些离情依依，但是他更爱戏剧，他就这样悄悄地离开了家乡。

# 第二章 伦敦时期

威廉跟着女王剧团到各乡镇巡回演出，最后回到伦敦。

伦敦！整个伦敦洋溢着一片欣欣向荣的气象，尤其伦敦街上，商店林立，游人如织。团长曾经告诉过他："自从英国打败了西班牙的无敌舰队后，英国已成了海上的新霸主。"

英国成了霸主，伦敦就成了海上贸易的中转站。伦敦街上，除了英国本地人外，又增添了来自世界各地的船员、商人、大老板、小客户，他们的种族特色，他们的奇装异服，以及他们带进的商品和文化，把伦敦点缀成一个耀眼的花花世界。

威廉走在人群中，看着拥来挤去的行人，心里笑了出来。他对自己说："整个伦敦就是一个大剧场，这里有取之不尽的故事！只要我够努力，我一定能在这大剧场里成名！"这一年，威廉二十五岁，他为自己定下了人生的目标。

在剧团里，他什么事都认真地做：缺演员，他上场代替；缺提词，他躲在布幕后提示；缺剧本，他赶工编写；甚至在演出前，他还等在大门边替客人牵马；场地太脏，他拿起工具清理场地……等到空闲时间，他就

埋头念他的书。

## 克里斯多弗·马洛

在伦敦，他只有一个朋友，他的童年好友：理查德·菲尔德。

他去找理查德。理查德正在他的印刷厂看样本。自从他的老板过世后，他接管了那家印刷厂，努力经营的结果是，他已成为伦敦重量级的印刷厂负责人。

两人一见面，便紧紧相拥。威廉把他在剧团的情形告诉理查德，理查德听完后，严肃地对威廉说："威廉，你到伦敦来，不能只做打杂的事，你是来学习、来创作的！"

"你是说，我还要学习？"

"对的！"

"可是，我已经会演戏、会写剧本了。"

"你会演戏，你确定你演得很好吗？你会写剧本，你确定你的剧本能在伦敦上演吗？"理查德毫不留情地反驳他。

"这个……"威廉无言以对。

"伦敦是英国文化活动的中心，你要在伦敦占有一席之地，需要很多条件。"

"什么条件？"

"至少，你要读很多的书，把基础打好。伦敦是个很现实的地方，大家通常只看重学院派的文化人。"

"学院派？"

"就是有剑桥、牛津或伦敦大学文凭的人。"

威廉有些羞愧地低下头。

“而且，在伦敦，演戏的戏子没有任何社会地位，有时候，藉藉无名的戏子还被当做乞丐、游民……”

“我还是回去算了？”威廉难过地说。

“当然不能回去，威廉，记不记得我说过，你的第一本书就由我来印，我还在等呢！”

理查德担心他的话会伤威廉的心，决定先带他多认识伦敦。

“威廉，我们先来庆祝我们俩在伦敦的相会。”理查德从口袋里掏出两张戏票。

“这是什么？”

“戏票，这是克里斯多弗·马洛送我的戏票。”

“你认识他？”威廉兴奋地问。他的剧团团长常常提到这个名字。

“他经常来我这里，目前，他是伦敦最出名的诗人兼剧作家。”

“他写过很多剧本吗？”

“马洛写的剧都相当出名，除了正在上演的《浮士德博士》外，他还写过《帖木儿大帝》上下两部、《爱德华二世》、《马耳他的犹太人》以及《巴黎大屠杀》等等。他的特点是把音乐和磅礴的气势，带进他的剧中。”

“写出这么多好作品，他年龄很大了吧？”

理查德想想说：“他比我年轻三岁，好像是1564年出生的。”

“跟我同年，二十五岁！”威廉说。

“英雄出少年啊！威廉，你也是英雄。”

“我是个尚未出世的英雄。”威廉打趣地说。

两人哈哈大笑。

“他是学院派的吗？”威廉又问。

“他是剑桥的学士和硕士。”

威廉无话可说，只知道自己要学的东西太多了。

理查德看出威廉的尴尬，立刻安慰他说：“威廉，有句话叫‘英雄不论出身’，虽然你没进大学，可是你靠自己的努力读了很多好书，你比一般人都强！”

威廉知道理查德在安慰他，一本正经地回答：“我不是要和一般人比，我是要跟比我强的人学习。”

“好，那就出发吧！”

当天下午，他们看的是唯一剧院的《浮士德博士》（*Doctor Faustus*）。

这是威廉第二次进入唯一剧院，他已经熟悉剧院的情形。听理查德说，这出戏的编剧和主角都是伦敦一流人物。威廉静下心来，要看看马洛如何编剧、演员如何演戏。

当的一声，两块红色丝绒帘幕缓缓地拉开，舞台的正中央有一个披着黑色破旧袍子的老学究，光着头戴着眼镜，一脸的懊恼，气愤地诉说他对世事的不满和失望，这个人，就是主角浮士德。

他的不满和失望被恶魔米非斯陀听到。恶魔就和浮士德订约，恶魔给浮士德青春、爱情和快乐，来交换浮士德的灵魂。只要浮士德对人生满意，而对时间说：“等一等我，不要让我死！”他就输了，他的灵魂便是恶魔的。

在恶魔的安排下，浮士德变年轻了，恋爱了，一切是那么顺利，他忍不住说：“等一等吧，多美好的时间！”浮士德输了，恶魔立刻命令小鬼来带走浮士德的灵魂。

这时候，上帝出现了。上帝命令天使把浮士德的灵魂从恶魔手中抢回来，因为浮士德是善良仁慈，富有爱心的人，他曾以自己的牺牲，去谋求他人的幸福。

克里斯多弗·马洛把这个德国的民间传奇人物编成戏剧[1]，实在太棒了，而演出此剧的理查德·伯比奇，更把演技发挥到极点，引来满堂的喝彩。

"原来，好的演员能把戏演得这么传神！"威廉对自己说。

"理查德，既然你认识马洛，我可以跟他学编剧吗？"

"我去说说看，你等我的好消息吧！"

隔了几天，理查德来告诉威廉，他可以到马洛的工作室去学习。

"威廉，马洛的剧编得好，他的诗写得更好，你有这个好机会，就当你是在剑桥大学上课吧。"

理查德的好意，威廉了解。威廉也知道，伦敦是个大展鸿图的地方，但成功凭的是努力。

马洛的工作室像小型图书馆，靠墙的书架上，摆满了各种书籍。几个工作人员总是静静地围着工作室的大圆桌，埋头做自己的事。

在图书室的隔壁，马洛单独在一个房间里。威廉见到他的时候，他正低着头，看着手中的资料。等他抬起头看到莎士比亚时，两个人都笑了，因为他们都有弯弯的眉、瘦长的脸，连身材的高矮都有些相似。

## 《亨利六世》

马洛站起来，跟他握手，然后扬起手中的资料，问威廉说：

---

1　一百多年后，德国诗人兼剧作家歌德以六十年的岁月，完成了诗戏《浮士德》的创作。在文学史上，歌德的《浮士德》与荷马的《史诗》、但丁的《神曲》以及莎士比亚的《哈姆莱特》，并列为欧洲文学的四大名著。

“你知道亨利六世吗?”

开门见山,马洛一见到威廉,就问这句话。

“知道一点,我读过《英国史》。”威廉反应很快,迅速回答。

“很好,等会我们要讨论的,就是亨利六世这个剧本,你做记录,行吗?”马洛把手中的资料交给威廉。

“行的!”威廉点头,接过一大叠资料,心里却很害怕,因为他不知道学院派的人是怎么处理事情的。

开会的时候,威廉战战兢兢,他也不知道该怎么写记录,只是拿着纸笔,认真听:

马洛说:“首先,我们要把亨利六世里出现的角色确定下来。”

在座的人提出红衣主教、亨利六世的妻子玛格莱特、白金汉爵士等……

马洛又下令:“再来讨论主角与每个角色的特性!”

又经过一番热烈的讨论后,有了结果。

“还有个重点,”马洛继续说:“亨利六世和百年战争[1]以及蔷薇战争[2]的关系,要如何交代清楚?”

几次会议后,亨利六世的一生,在威廉·莎士比亚的脑海里一幕幕地出现。威廉喜欢这种熟悉感,为了再度认识这个人物,他把亨利六世的真实历史,以及马洛交给他的资料,仔细阅读了好几遍。

亨利六世是历史上的真实人物,他于1422年9月登上英国王位的时

---

1 1337年,英王欲取得法国王位,向法国开战,战争延续了116年之久,至1453年才告结束,是谓百年战争。

2 英国两大家族兰卡斯特(The House of Lancaste)和约克(The House of York)家族,为争夺英国王位,于1455年至1485年发生的内战。战场上,两个家族的士兵各以红白蔷薇为记, 称之为蔷薇战争。

候，还只是一个九个月大的婴儿。

为了辅助这位未成年的国君，权贵之间为争取摄政王的位置，彼此明争暗斗；再加上红衣主教的热烈参与，酿成政教之间的冲突。

国内政坛上已战云密布，亨利六世不甘寂寞，又去争夺法国王位，这个时期英法两国间的百年战争仍在进行，战争初期，常有捷报，但是法兰西出了一位圣女贞德后，在圣女的鼓动下，激起了法兰西人的爱国情操，法国人转败为胜。

亨利渐长，性情软弱，加上他缺少智慧，政权已落入宠臣控制。宠臣争权夺利，结果是扰乱了内政，破坏了朝纲，崩溃了社会的秩序，更严重的是埋下了内乱——蔷薇战争的种子。内忧加外患，重重的压迫下，亨利六世精神失常了。

1454年，亨利的病体尚未康复，蔷薇战争爆发。

玛格莱特王后利用此一时机，掌握控制权，把势力庞大的约克家族逼往国外。

一年后，约克悄悄回国，迅速发动政变，亨利六世被捕，约克家族的爱德华成为合法继承人。

1471年的5月21日，爱德华四世进入伦敦，亨利六世被谋杀，享年只有四十九岁。

这段历史，威廉曾经读过，但是经过几次会议后，亨利六世在威廉脑海里变成了活生生的人物，书中的人物也都跟着活了：

亨利六世的言听计从、软弱无能。

王后玛格莱特的霸道强悍。

红衣主教沃尔西的滥权贪渎。

约克公爵的阴沉计谋。

圣女贞德的爱国情操及她的神力与传奇。

威廉拿起笔，把脑海里的战争场面、宫廷虚伪、亨利六世的愚昧，以及群臣的争权夺利，全部记录下来。

几天后，马洛叫威廉把会议记录给他看，威廉拿给他的，是亨利六世剧本。

马洛看着，很是惊讶：

“这是你写的吗？”

“是的，我是按会议记录……”

“你为什么从一个九个月大的婴儿写起！”

“亨利九个月大的时候，被封为英王，年龄虽小，却已经是名正言顺的英王。正因为他只是九个月大的婴儿，为夺摄政王的位子，权贵之间才发生争斗，埋下了蔷薇战争的种子，我就这样开始的……”威廉讲得头头是道，简直忘了他面对的马洛是伦敦戏剧界的权威。

“威廉，你就照你的想法，写下去。以后，除了参加会议，你可以任意地看书，找资料或写稿。每写完一部分，就先给我看看。”

《亨利六世》这部作品终于完成，洋洋洒洒共有三大册。当然里面有马洛的意见，有马洛的口气，也有马洛的习惯用语。但是，整部作品是威廉·莎士比亚的成绩。威廉的第一部历史剧习作，竟然得到伦敦艺文界的赞赏。

评论的文字出现：

二十七岁年轻编剧家，编出气势万千的《亨利六世》三部曲。

一个来自乡村的剧作家，完成亨利六世的漫长历史。

一个只进过文法学校的天才，完成《亨利六世》巨著。

## 罗伯特·格林

威廉·莎士比亚的声誉在伦敦响起，让一个在剑桥和牛津都获得学位的学院派诗人兼散文作家罗伯特·格林，相当不满。

格林[1]写过许多好作品，尤其是他的田园诗——《潘朵斯托》（*Pandosto*），颇受英国人的喜爱。1592年，在他逝世前，他出版他的作品《百般懊悔换得的一毫智慧》。在这本书中，主要是写他自己的经历，其中有一段提到当前戏剧界的一位新人，他写着："要注意现在的文坛上，一只自命不凡的乌鸦，在戏子的外皮底下，包藏着一颗虎狼的心，用我们的羽毛欲震动舞台。"

大家一看，就知道他所说的乌鸦，是暗指莎士比亚。

因为格林把莎士比亚在亨利六世中的一句台词："妇女的外皮底下，包藏着一颗虎狼的心。"改变成"在戏子的外皮底下，包藏着一颗虎狼的心。"又把莎士比亚的名字"Shakespeare"（很快地拔出剑来），巧妙地改成"Shakescene"（震动舞台）。

不管格林如何讽刺他，至少证明了二十八岁的威廉，已经在伦敦的文坛树立了他自己的名声。

二十年后，威廉把格林写的田园诗《潘朵斯托》，改编成温馨的田园剧《冬天的故事》，这是格林始料未及的事。

格林死后的第二年，也就是1593年，克里斯多弗·马洛也相继而亡。

马洛的父亲是伦敦一个中产阶级的生意人，家道小康。马洛从小聪明勤奋，十五岁时，获得了总主教所设的奖学金，得以进入剑桥，先后获学士与硕士学位。

---

1 格林在1592年的9月3日去世。

英国有个不成文的规定，凡是获得总主教奖学金的得主，毕业后必须服务圣职。马洛学成后，拒绝从事圣职，到伦敦从事戏剧工作，名声响亮，是莎士比亚之前最伟大的剧作家，有“英国悲剧之父、英国无韵诗的创始者”之称。

马洛可能是因为政治事件而被谋杀。他死在伦敦附近特福德的一家店里。死的时候，只有二十九岁。

这一年，伦敦发生瘟疫。瘟疫期间，为避免病情传染，伦敦所有剧院必须关闭。威廉在这段空闲时间，专心读诗，写就《维纳斯和阿多尼斯》。

## 《维纳斯和阿多尼斯》

威廉读的是古罗马诗人奥维德（Ovid）写的希腊神话，其中有一则是讲爱神维纳斯和美少年阿多尼斯的爱情故事：

故事是这样的：

维纳斯是希腊神话里最美的女神，也是爱的象征。

阿多尼斯是希腊神话里的美少年。传说他是叙利亚国王的私生子，出生时，婴儿的美惊动了爱神维纳斯，维纳斯就把他放进箱子里偷走了，然后交给冥后养育。渐长后，竟成美少年，冥后想占为己有，不肯还给维纳斯。

两位女神就去找众神之王宙斯上诉，宙斯裁定：阿多尼斯每年和维纳斯过四个月，和冥后过四个月，其余的四个月任其自由选择。

阿多尼斯喜爱打猎。有天，维纳斯突然有不祥预感，要他停止外出

打猎。阿多尼斯不听劝告，打猎时被嫉妒他的野猪刺杀而亡。

看到阿多尼斯僵硬的尸体和地上的鲜血，维纳斯非常伤心。为了纪念这个她喜爱的美少年，维纳斯将阿多尼斯身上淌出来的血变成了一朵红蔷薇。

威廉读着，感觉自己变成了爱神维纳斯，深深地爱恋着这个美少年。感动之余，用他自己的笔触，以诗人敏锐的感情，重新诠释这则神话。

请看，威廉写的阿多尼斯的美：

你是花中之王，美中之美，
你使众仙羞愧，
你比凡人出色，
白皙的皮肤，胜过鸽子，
红润的嘴唇，胜过蔷薇，
大自然创造你，你却比大自然更美。

再看最后一段，作者幻化为维纳斯：

这时，她的身边躺着血淋淋的被害少年，
刹那间，少年化为一阵清风从她眼前消逝，
留在地上的，只有那滩鲜血，
鲜血里生出一株玫瑰。

威廉把这首诗给理查德·菲尔德看。理查德赞不绝口，答应替他出版。恰在此时，有一位年轻的扫桑普顿爵士在理查德的印刷厂看到这首诗，非常喜欢。经由理查德的介绍，威廉和扫桑普顿爵士见了面，彼此都有好感。威廉当场就把这首长诗献给爵士。

威廉在卷首写下：

> 献给扫桑普顿爵士：承蒙您的喜爱，献上我的初作，如您满意，我将继续为您而作。

这封信和这首长诗，一起印了出来。1593年出第一版后，佳评如潮。两个星期后，在剑桥的学术殿堂上公开朗读演出。伦敦文坛重量级批评家诗人米尔斯（Francis Meres）说："莎士比亚带蜜的语言，丰富了英文的内涵。"

这首诗风靡了伦敦，两年之间印了九次。一时之间，几乎人手一册。威廉·莎士比亚以年轻诗人的身份，风靡伦敦。扫桑普顿也因为这首诗，不但送上厚礼，还成了威廉在伦敦的保护人。

威廉为了答谢，写了另一首长诗：《露克丽丝遭强暴记》（*The Rape of Lucrece*），赠予扫桑普顿爵士。《露克丽丝遭强暴记》也是古罗马的大诗人奥维德的诗作，诗中的女主角露克丽丝[1]，是传说中罗马的烈女。

莎士比亚用这个古罗马传说，写成了长诗《露克丽丝遭强暴记》。同样地，这部长诗仍是由他的童年好友理查德·菲尔德出版，并名满伦敦。威廉·莎士比亚以这两首长诗，树立了他诗人的地位。

---

1 露克丽丝非常漂亮，她是贵族柯拉丁纳斯美丽又贤淑的妻子。不幸的是这个好女人被罗马暴君的儿子看到，然后奸污。她不甘受辱，要求父亲和丈夫为她复仇，随即自尽而亡。此后，她的父亲和丈夫把她受辱的经过告知群众，他们就率领被激怒的群众起事，把暴君家族赶出罗马。这件事（据说发生在公元前509年）促成了罗马共和国的诞生。

# 马洛的阴影

威廉的突然崛起，定然引起他人的嫉妒。像当时著名的诗人本·琼森认为：“一个只读过文法学校的人，怎可能读过希腊的古典文籍？威廉·莎士比亚的作品，一定是有人替他写的。”

马洛工作室的人也说：“马洛曾经写过一篇类似的作品，只是未完成，马洛就过世了，莫不是威廉抄袭马洛的原稿？”

更有人说：“亨利六世里面，就有马洛的影子。看来，亨利六世也不完全是莎士比亚独立创作的！”

甚至有人猜测：“马洛根本没被刺死！”

因为马洛是政治犯，本来就要被抓去坐牢的，马洛假装被杀，其实是隐姓埋名，逃避政府的追捕。所以，马洛的作品不敢使用真名，只得改用笔名：马洛的笔名，就是威廉·莎士比亚。

有部分人是相信这种说法的，但也有反对的。反对的人说：一切都是巧合。巧合吗？两个人都是1564年出生。两个人都是长脸、弯眉，不注意看，还真分不清楚谁是谁，且两个人都是诗人兼剧作家。

可能，全伦敦只有理查德·菲尔德清楚地知道莎士比亚是他的童年好友，一个爱读书、爱做梦的天才。

在谣言满天飞的时候，理查德告诉他：“威廉，用你的想象力，创作一部没有人创作过的作品！”

威廉开始做梦。6月的圣约翰日，他写下文艺复兴时期英国最伟大的喜剧《仲夏夜之梦》。

## 《仲夏夜之梦》

6月的圣约翰日，指的是英国每年的6月24日，这一天是一年中白天最长、黑夜最短的日子。这一天的晚上，即为仲夏夜[1]。

“仲夏夜”本身具有相当的神秘性和诱惑力。

1594年的仲夏夜，威廉发现伦敦街上一片冷清，人都到哪里去啦？

“到森林里去啦！”一个行人这样告诉他。

他一个人在街上走来逛去，不知不觉走进一片小森林，威廉就躺在草坪上，望着天上的繁星。

忽然，跑进来一对年轻人，手牵着手，躲到树丛里。

忽然，又跑来一个年轻男子，一边喊着一个女人的名字，一边焦急地找人。没找到，又跑到另一边的树林中。

稍等一会，又来了一个年轻小姐，这个小姐也是一边跑一边叫，叫的是一个男性的名字，跑来跑去，也跑进树林中。

威廉看到这一幕，立刻就把四个人联想在一起，或许是因为感情纠纷，才这么盲目地追赶、找寻。他心想：如果森林里有精灵，在精灵的牵引下，就让这四个年轻恋人，配成对吧！

这个念头一起，威廉的眼前，忽然大放光明，许多精灵从地下、从树丛中、从天上一拥而下，连森林里的仙王仙后也来加入此一盛会：爱情在森林里酝酿，情人在选择他们理想的对象，有选对的、有选错的，在纷

---

1 仲夏夜有各种神异的传说，一般相信这一夜在睡梦中的人，灵魂可以出游。而守夜不睡的人，还能看见睡者之游魂。更怪诞的是，如果终夜站在门口，还可望见教区内在此后一年中将死亡的灵魂。这一夜，连植物都特别有灵性，英国人习惯在这一夜去采取某种植物，获取某种神秘的力量，这就是英国人的“仲夏夜”。

纷扰扰的情变中，天渐渐亮了，仲夏夜要结束了，错乱的爱情也该结束，情人们各得所爱，圆满结局。

他决定把这个梦写出来，创作出他青春时期最温馨的爱情故事……

《仲夏夜之梦》诞生了。

故事的开场是雅典公爵在为自己准备一场婚礼。婚礼的新娘是阿玛宗女王。

喜事当头，他的心仍在女儿赫米娅身上。

公爵希望女儿嫁给有身份地位的狄米特律斯，可是女儿不喜欢他，女儿爱的是帅哥拉山德。公爵知道后，生气地告诉女儿，如果女儿违反他的安排，按照当时的法律，做父亲的有权处死她。女儿伤心之余，觉得与其被处死，不如和拉山德私奔。

赫米娅把她私奔的事，告诉她的好友海伦娜。

海伦娜正失恋中。因为她爱的人，正是狄米特律斯。两人本是一对，可是狄米特律斯被公爵看上，要他娶公爵之女赫米娅后，狄米特律斯就不理会海伦娜了。

海伦娜深爱狄米特律斯，当她知道赫米娅要和拉山德私奔的消息后，为了要让狄米特律斯对赫米娅死了那份爱恋之情，海伦娜告诉狄米特律斯，仲夏夜晚上，赫米娅和帅哥拉山德会在森林里见面。狄米特律斯还想挽回赫米娅的爱，决定仲夏夜的晚上赶到森林里去阻止赫米娅的私奔。

仲夏夜晚的森林里，热闹非凡……

一对情人（赫米娅和拉山德）手牵手地跑进森林，两个人躲在树丛中情话绵绵。

狄米特律斯跑上舞台，跑着……叫着赫米娅的芳名。

海伦娜跟在狄米特律斯的后面，跑着……叫着狄米特律斯的名字。

森林里不是只有他们四个人，森林里还有仙王仙后，和许多翩翩起舞的小精灵。森林里还有六个工人，他们是为了庆贺雅典公爵的婚礼，准备演出大戏以娱嘉宾。

好戏开演了……

森林里的仙王和仙后为了一个印度童仆，发生争执。仙后一气之下，对仙王置之不理。仙王为了消消仙后的气，想出一个法子。他叫小精灵迫克去采集酢浆草，用酢浆草的汁液制成媚药。趁仙后睡着的时候，把媚药洒在她的眼皮上，这样，当她睁开眼睛时，会爱上她第一眼看到的东西。

精灵迫克先去森林中采集酢浆草，再细心地研制，然后拿着制好的媚药，回到仙后处。半途上看到六个工人在换装表演，其中有个织工，手上拿着一个大驴头。精灵迫克一时兴起，欲要玩弄人间一番，口中随即吐出咒语，魔杖在空中舞动，刹那间，那个织工的头变成了驴头。织工波顿变成了驴头人身的怪物。

小精灵看得高兴，忘了把波顿恢复原形，就赶快去找仙后，然后把制好的媚药洒在仙后的眼皮上，希望仙王仙后重修旧好。

波顿顶着驴头，在森林里乱闯，看到树下睡着一位美丽的仙女，越看越好看，他的驴头在仙后的眼前摇晃。

仙后醒来，第一眼看到的是驴头人身的波顿。仙后疯狂地爱上了他。

精灵迫克还不知道她闯了祸，她又在拉山德和狄米特律斯两位男士的眼皮上点了媚药。两个男士先后醒来，看到的第一个人都是海伦娜。海伦娜被两位男士热烈追求，被冷落的赫米娅只得在一旁哀声叹气。

仙王发现仙后紧追着一个怪物，才知道事情出了意外，小精灵简直是在乱点鸳鸯谱：该爱的被拆散了，不该爱的又混在一起。他把迫克叫来，把解药给她，叫她把情事处理妥当。

小精灵又有得忙了……

天亮了，仲夏夜结束了：仙王仙后和好如初，赫米娅和帅哥拉山德旧情仍在、海伦娜如愿以偿地得到了狄米特律斯，有情人终成眷属。

这个故事看似简单，其实在布局上相当精致而对称。

场景：雅典城市，是有规范有制度的地方

森林，隐藏着不可知的因素

时间：白日是理性的

夜间是激情的、混乱的

身份：雅典城的公爵和阿玛宗的女王

森林里的仙王和仙后

人间的爱情：公爵与女王

赫米娅与拉山德

海伦娜与狄米特律斯

仙界的爱情：仙王与仙后

仙凡的爱情：仙后与织工波顿

莎士比亚以平易近人的角色以及绵密的情节，创作了田园爱情剧：仲夏夜之梦。其实这是莎氏对现实人生里爱情的反讽。莎士比亚借此剧告诉读者：“爱情是易变的、盲目的，爱情的道路从不平坦。”

## 宫内大臣剧团

伦敦的“唯一剧院”是伦敦最好的剧院，剧院老板是詹姆斯·伯比

奇。他的儿子理查德·伯比奇[1]，就是在唯一剧院演出《浮士德》的那个主角。

威廉对理查德·伯比奇，早就心向往之，苦于没有机会认识。可是自从他的亨利六世和两首长诗打响知名度后，威廉也成了名人，他最想结识的人，就是理查德·伯比奇。

莎士比亚的《仲夏夜之梦》完成后，他把稿件交给好友理查德·菲尔德，并点名要由理查德·伯比奇饰演男主角。几天后，菲尔德拿着稿件回来，对莎士比亚说：

"他们看过剧本，对你非常佩服！只是……"菲尔德说。

"只是什么，有困难吗？"莎士比亚问。

"这个剧的场面太大，而且许多角色不容易找。"

"你是说迫克精灵的角色？"

"是啊，到哪里去找这么娇小玲珑的舞者，还有那个驴头波顿，怎么处理那个大驴头？"

"这倒也是，不过，总有那么一天，能够在舞台上见到这出剧。"莎士比亚放心地说。

"这出戏虽不好演，但伯比奇父子都想重金请你加入他们的剧团！"

"真的？"

"他们的剧团本来就有名声，你加入后，剧团里有最会演戏的演员、最会写剧本的作家，还有最会管理剧院的经理，你看，怎么样？"

"好。我答应！"威廉爽快，一口答应。

"理查德的父亲就是经理。经理伯比奇说了，你的加入，不是领员

---

1　理查德·伯比奇（Richard Burbage），是当时伦敦最有名的演员。

工薪水，而是算股份，也就是说，你也是老板之一。”

“太优待我了！”

“威廉，因为你值得！”菲尔德拍拍莎士比亚的肩膀。

两天后，威廉·莎士比亚见到伯比奇父子。

理查德·伯比奇一见到威廉，立刻伸出手来，拉住威廉说：“大名鼎鼎的剧作家果真是文质彬彬、风度翩翩！”

威廉看到理查德，也禁不住说：“人人仰慕的名演员果然外表俊美、气质非凡！”

两个人握着手，会心地笑了。

因为莎士比亚的加入，伯比奇把剧团的名称改为“宫内大臣剧团”。

莎士比亚从剧团的股份中，开始有了丰厚的收入。

## 《罗密欧与朱丽叶》

加入伯比奇父子的剧团后，莎士比亚决定要为理查德·伯比奇写个剧本。理查德擅长的是悲剧，莎士比亚要为理查德量身写个剧本。

他想到了几年前，第一次到伦敦时，他在流动舞台前看过的《殉情记》。

理查德适合演那个英俊又多情的男主角。

但是，在流动剧场看的《殉情记》，悲剧的成分不够，说服力不强，他要给剧情增加更多的养分，更强的张力。

莎士比亚从罗马古籍中找寻资料。

原来《殉情记》的原著作者就是古罗马诗人奥维德，剧名就以男女主角的名字“皮拉姆斯和西斯贝”（Pyramus and Thisbe）为名。

这个故事是叙说古代巴比伦，有一对情人，他们住在隔壁。两人约会，只要经由后花园的围墙缺口，就可到树林里见面。有一回，先到的西斯贝被一头狮子吓跑，跑的时候，披在身上的斗篷掉落了，这件斗篷上沾有血迹。后到的皮拉姆斯没看见心爱的人，只发现她掉落地上的斗篷，看到血迹，以为爱人死了，在悲痛中，他自杀身亡。等到西斯贝再回来时，悲剧已经发生，她也为之殉情。

到了文艺复兴时期，意大利小说家马莎乔把这个故事改编成小说。故事中加入了两个家族间的仇恨，之后，又加入催眠剂和装死的情节。

浪漫的故事广为传播，从意大利飘过英吉利海峡。有个名叫布鲁克的诗人，甚至把这个故事改编成3020行的长诗，来歌颂爱情。

莎士比亚看过流动剧场的演出，读过奥维德的原著，吟诵过布鲁克的长诗，他要写出属于他自己风格的“殉情记”——罗密欧与朱丽叶。

莎士比亚的剧里，除了爱情，还加进了暴力和死亡，使剧情更加复杂。而且他把女主角的年龄降到十四岁，并把男女主角的相遇，变成那种天雷勾动地火，一见钟情的爱情。莎士比亚把爱情的时间缩短，从相遇到死亡，只有五天。如此一来，使得情人们的鲁莽行为更具说服力，剧情也更为紧凑，从一个激情转到另一个激情，悲剧发生。

罗密欧与朱丽叶的故事之所以称之为悲剧，是因为莎士比亚在他们俩的爱情之路上，加入了太多的冲突与阻力，逼着一对有情人走上绝路。

最大的阻力，是两个家族间长久累积的仇恨。仇恨引发暴力，暴力迈向死亡，在如此恶劣的环境下，两个家族的年轻一代，偶然间相遇了，却是深情相许，于是仁慈的奶妈做他们的爱情邮差，好心的神父为他们证婚，再加上致命的毒药、锐利的匕首、错误的讯息，终于导致这对恋人走向死亡。

在这里，让读者看看莎士比亚的文字魅力。

罗密欧看到大美人朱丽叶时的感觉:

火炬远不及她的眼睛明亮，她是天上的明珠降落人间!
我从前的爱恋懵懵懂懂、似假非真，今晚才遇见绝世佳人。

下一段是罗密欧发现朱丽叶已经死了:

罗: 啊，我的爱人，我的妻子，我要永远陪伴着你，再也不离开这漫漫长夜的死亡之宫。我要在这儿长久安息下来。让我的眼睛，瞧你最后一眼；让我的手臂，对你作最后一次的拥抱；(拿起毒药) 为了我的爱人，与死亡作个约定。死亡，我干了这一杯!

朱丽叶醒来后，发现罗密欧死了:

朱: 这是什么，一只杯子，紧紧地握在我爱人的手里。我知道了，这一定是毒药。毒药结束了他的生命。爱人，你为什么不留一滴给我呢? 我要吻着你的嘴唇，或许上面还留有一些毒汁。(吻)

莎士比亚借这个故事，告诉观众: 仇恨的代价是死亡!

## 世界是个大舞台

伊丽莎白女王执政，是英国趋向安定与繁荣的时期，主要原因是百年战争和蔷薇战争双双结束。但因为长久战争的关系，封建瓦解，国库

虚空，想往海洋经济发展，又有西班牙的海军阻挡，女王只得请出海盗船长，训练一批海军战将，终于打败西班牙的无敌舰队，取得海上通商的霸权。

威廉·莎士比亚到伦敦的时间，正是伦敦迈向繁盛的阶段，伦敦街上，人来人往……

威廉最喜欢的休闲，就是和几个朋友坐在路边的咖啡座上，喝着咖啡，聊着闲话，欣赏街上的男女老幼。同坐的朋友中，有一位名叫本·琼森（Ben Josson）的诗人兼剧作家，问威廉："喜欢伦敦吧？"

"伦敦像个大舞台！"威廉不假思索地说。

讲完之后，他才认真去想这句话。舞台上要有演员，伦敦既然是个舞台，那谁是演员呢？

啊！走在伦敦街上的每一个人，都是演员。

之后，威廉假想，假想自己是站在爱丁堡的古堡前，或是坐在巴黎凯旋门的路边，甚至假想自己走在古希腊罗马的街道上，看到的也是忙碌的人群，每个人在忙碌中渐渐老了，就像演员化了妆……这个想法，促使莎士比亚更专注研究人的变化。

于是，他写了一首让全世界人惊叹的诗：

> 整个世界是个大舞台，
> 所有的男男女女都是演员。
> 他们有出场，也有下场的时候，
> 人的一生可扮演七个时期。

哪七个时期呢？按照莎士比亚的观察：

第一个时期，是婴儿期，
在保姆的怀里吐着乳汁或是低声哭泣。
第二个时期，是哭哭闹闹的学童期，
背着书包，在阳光照耀的清晨，
像蜗牛似的拖向学校。
第三个时期，是恋爱期，
情人皱个眉，就以为自己失恋了，
于是，不停地叹息，念着忧郁的诗句。
第四个时期，是军人期，
嘴里说着粗话，脸上留着胡须，
为争荣誉，为争鸡毛蒜皮的小事，
即使临死当头，也要争吵到底。
第五个时期，是法官期，
圆圆胖胖的肚子，眼角的鱼尾纹，
严肃的眼神，修剪合宜的胡子，
嘴里讲的尽是充满智慧的格言。
第六个时期很快地转成穿着窄裤和拖鞋的丑角，
鼻上架着眼镜、腰上挂着钱包，
萎缩的双脚上穿着年轻时保存下的袜子，
宽松、破旧、邋遢，
平日的大嗓门，变成了像婴儿般的尖叫，
伴着气管里不顺畅的呼吸声。
最后一幕，奇怪结局，
人又变成了第二个婴儿期（第七期），
没有牙齿、没有眼睛、没有味觉，一无所有。

莎士比亚把这首诗放在他的剧本《皆大欢喜》(*As you like it*)里，每一个人，不论他是皇亲国戚，或是升斗小民，都是相同的历程：婴儿、学童、恋人……到一无所有。

这首诗，让每个人看清自己。原来自己的一生，也是一场戏，在人生的大舞台上，郑重演出。

## 《威尼斯商人》

莎士比亚不仅喜欢在街上看人，他还喜欢听路人讲话，看路人吵嘴。有一天，他看见一个年轻人和一个白头发的老人在争吵，旁边还站着几个看热闹的人。

莎士比亚走过去，只听见白发老人说：

"我没有眼睛、没有鼻子、没有嘴巴吗，我跟你一样，你凭什么无缘无故骂我？"老人委屈地说。

年轻人一听，火气更大了，当着众人，向白发老人吐口水，还傲慢地说："犹太人，我才跟你不一样呢，我是基督徒。你，只是一只狗！"

就这么两句话，和一个吐口水的动作，让莎士比亚久久不得理解："基督徒可以这样对待人的吗？犹太人有罪吗？"[1]

但是，一个人的事件，为什么让整个犹太族人都受到牵连呢？这是不公平的，莎士比亚为犹太人抱不平，他写下了《威尼斯商人》。剧中的主角，是一个犹太老人，名叫夏洛克。夏洛克是一个放高利贷为业的商

1 1594年，有个犹太籍的医生，意图谋杀伊丽莎白女王，被逮捕后，在伦敦被绞杀。这个事件，让犹太人在伦敦备受欺辱。

人。剧中有个年轻商人名叫安东尼奥，他有几条大船在海上从事海上贸易。他为了一个朋友，向夏洛克借了3000块钱。两人订约时，在契约上注明：如果逾期不还，夏洛克可以任意割取安东尼奥身上的一磅肉。

还钱的日子到了，安东尼奥的大船，在海上触礁沉了，安东尼奥宣告破产。

听到安东尼奥破产的消息，夏洛克说："我要报仇！"

原来，夏洛克和安东尼奥是朋友也是敌人。安东尼奥每次见到夏洛克，就骂他异教徒，骂他是咬人的狗，还把唾沫吐在他的长袍上。夏洛克忍气吞声，恨在心头，拿他没办法。现在可好，安东尼奥破产了，他向夏洛克借的钱，还不出来了，夏洛克决定要割下安东尼奥身上的一磅肉。

别人问他，你割一磅肉有什么用啊！

**夏：**当然有用啦，拿来钓鱼也好。至少可以出出我这口气。他曾经羞辱过我，讥笑我亏了本，挖苦我赚了钱，侮辱我的民族，破坏我的买卖……他的理由是什么？只因为我是一个犹太人……犹太人怎么样，犹太人也是人！犹太人也有眼睛、也有鼻子、也有嘴巴……

犹太人因受迫害[1]，经验告诉他们，千万不要置产，否则财产会无缘无故被没收，落得一无所有。因为不敢置产，所以只得收集巨量的现金，以放债为业，收取重利。因收取重利，在社会上容易与人冲突；在人际关系上，被人轻视、耻笑。

长久被羞辱、受尽压迫的人，一旦有机会反扑，他当然会"出出这口怨气！"所以当安东尼奥和夏洛克在街上遇到……

1 在英国，从1290年起，犹太人就被驱逐，直到1649年，这禁令才被取消。

安：再听我说句话，好朋友夏洛克。

夏：我一定要按照合约而行。我已经发过誓，非得照约而行。你记得吗，你曾经骂我是狗。既然我是狗，你就得小心我的狗牙！

在这个剧里，莎士比亚创造了一个漂亮的、富有的、聪明的女主角，她叫鲍西娅。

鲍西娅的丈夫和安东尼奥是朋友。可以这么说，当初安东尼奥就是为了这个朋友，而向夏洛克借3000块钱的。现在安东尼奥还不出钱，还得割下身上的一磅肉，朋友之妻鲍西娅觉得在这个时刻，应该挺身而出，为安东尼奥辩护。

鲍西娅在了解整个契约书的内容后，以律师的身分，在法庭上，和犹太人夏洛克对话：

鲍：那个商人（指安东尼奥）身上的一磅肉是你的，法律准许你可以取得。

夏：太好了！来，预备！

鲍：且慢，还有话要说明的。这契约书上只写明一磅肉，并没有允许你取他一滴血。所以你可以取他身上一磅肉，注意哦，一磅肉，不能多一毫、不能少一厘，整整一磅，而且，不能流一滴血！

夏：法律是这样说的吗？

鲍：你可以自己去查。

夏：那么，我愿意接受还款。

鲍：你除了照契约书上规定，去割对方的一磅肉外，不能接受其他赔款。

**夏**: 那就还我本钱吧!

**鲍**: 你已经拒绝过了。

**夏**: 难道我连本钱也拿不回来了吗?

**鲍**: 犹太人, 除了割下那一磅肉以外, 你不能拿一个钱。

**夏**: 那么, 我不要打这场官司了。

最后的结果是, 犹太人不但收不回他借出的钱, 还因为要割对方的肉, 证明他企图谋害安东尼奥, 犹太人犯下了谋害罪。他财产的一半给安东尼奥, 另一半由政府没收。夏洛克身无分文。

听听夏洛克哭诉:

**夏**: 你们夺了我养家活口的根本, 就是夺了我的命!

所幸, 在安东尼奥的要求下, 被政府没收的财产, 暂时由安东尼奥保管, 等夏洛克的女儿结了婚, 再交还给夏洛克的女婿。

结束了吗, 还没有, 请看最后安东尼奥的话:

**安**: 还有两个附带条件: 第一, 法庭如此恩待他, 他必须立刻改信基督教; 第二, 他必须当庭写好文契, 声明他死以后, 他的全部财产传给他的女婿和他的女儿。

一场纠纷, 一场官司就此结束。莎士比亚在这个剧中, 表达了他的人道精神, 用公正深刻的笔法, 把一个犹太民族受尽压迫的现象, 表现出来。剧中的夏洛克不是一个人, 他代表整个犹太民族。

此外, 在这个剧中, 莎士比亚也很细腻地描写出仇恨和报复的心

态，夏洛克有他的丑态，也有他的悲愁。夏洛克悲喜交错的人物形象，增加了《威尼斯商人》的内涵。

此剧中，莎士比亚创造了一个外柔内刚、聪明理智的女强人角色。

此剧也表达了莎士比亚个人对异族的同情。除了不满英国人的种族歧视外，莎士比亚的天才也超越了两种宗教。这出戏里的夏洛克是犹太教的代表，向他借钱的安东尼奥是基督徒。犹太人一定要割基督徒的肉，主要原因是基督徒经常骂他，吐他口水！基督教是爱的宗教，《圣经》里说得清楚明白："爱是恒久忍耐、又有恩慈，……爱是永不止息。"看看安东尼奥的行为，听听夏洛克的苦情，基督徒爱的精神何在？

最后结局，安东尼奥还要夏洛克写下契约书："不再信仰犹太教，改信基督教。"这实在是个大讽刺。讽刺中含有教训。基督徒啊，请注意你们的行为！

## 《裘利斯·凯撒》

威廉·莎士比亚的剧，一本本地推出，让他的朋友本·琼森有些嫉妒。

有一次，他们在聚会上谈论古希腊罗马的文学。

"威廉，你读过古罗马诗人奥维德的作品吗？"本·琼森不怀好意地问。

"读过一些。"威廉老实回答。

"你在文法学校学的拉丁文，可以读得懂奥维德的作品吗？"本·琼森很自傲地说，因为，他自认他的拉丁文是全伦敦最棒的。

"其实，我还读过西塞罗写的《我的时代》。西塞罗是律师，又是政法家，读他的作品，可以学到思考的逻辑与雄辩的口才。”威廉滔滔不绝地说。

会场顿时安静下来，因为与会的文人都知道，本·琼森曾经说过莎士比亚只懂得一点拉丁文。

果然，本·琼森对莎士比亚说：“你的英国史《亨利六世》写得很好，可是，我从来没看你写过希腊罗马史！”

其实，本. 琼森这么说，并没有恶意，因为那个时代，欧洲的文艺复兴方兴未艾，诗人或剧作家最成功的表现方式，就是从罗马历史中找到题材，写出作品。

但是，本·琼森可能忘了，莎士比亚曾以两首长诗，打响他的名声。这两首长诗就是出自罗马古籍的《维纳斯与阿多尼斯》和《露克丽丝遭强暴记》。但是，那是诗，不是剧本。

莎士比亚决心以戏剧的形式，写一个罗马史中的大人物——凯撒大帝。

莎士比亚的凯撒大帝，从凯撒战胜归来，被推举为罗马帝国的最高统治开始写起……

凯撒的崇高地位，引起元老院议员凯歇斯的嫉妒，于是，他精心策划要杀死凯撒。但是，这样重大的政治阴谋，一定要有个高贵的人来执行，这个高贵的人就是勃鲁托斯。

莎士比亚的《裘利斯·凯撒》，在政治谋杀的前提下，阳刚气强，演出者均为军人和政客，全剧只有两个女人，而且戏分很少：她们是凯撒大帝的太太和勃鲁托斯的太太。

因为是政治和谋杀，全剧有许多阳刚性的名言：

◎懦夫在他死之前，已经死了很多次。

◎与其苟且偷生，拖延过日，不如轰轰烈烈死去。

◎为了惧怕可能发生的祸害，而结束自己的生命，是弱者的行为。人，应该用坚忍的态度，等待上帝给我们的裁判与命运。

◎正直的人应与正直的人为伍，记住：近朱者赤，近墨者黑。

◎不可轻易发誓。因为常人总是为了不正当的理由，恐怕不能见信于人，所以用誓言来增强它的正当性。

◎死是一个人免不了的结局，它要来的时候，谁也不能叫它不来。

就在凯歇斯义正词严的说服下，被鼓动的人揭竿而起，凯撒大帝在元老院前，被勃鲁托斯刺杀身亡。

接下来，是全剧的精华：两个人的演讲。

杀人者，应该有个杀人的理由，勃鲁托斯杀凯撒，他的理由是什么？请听他怎么说：

勃鲁托斯：

罗马人民，同胞们，爱自由的人！请听我讲一讲我的道理。请安静，以便能听到我的话。

各位，你们曾因我的荣誉信任过我，现在，也请你们因我的荣誉相信我，并运用你们的智慧来裁判我，如此才能让你们作出正确裁定。

在这群众中，如果有凯撒的好朋友，我要对他说，勃鲁托斯爱凯撒不会比他少，如果这位好朋友问，既然你爱凯撒，为什么要反抗凯撒、杀死凯撒？我的回答是：“不是我爱凯撒少些，而是我更爱罗马！”

你们愿意让凯撒活，而大家做奴隶而亡？还是让凯撒死，大家做自由人而活？凯撒爱我，我为他的死哭泣；他幸福，我为他欢喜；他勇敢，我崇拜他；他野心勃勃，我杀了他！

因为对他的爱，我流泪；因为他的幸运，我喜悦；因为他有野心，他必得死亡。

在这里，谁愿意做低贱的奴隶？如果有，请说话，因为我冒犯了他，使他宁愿为奴也不愿做高贵的罗马人！使他宁可去爱一个卑鄙的小人，而不爱他自己的国家，如果有，请说话……

群众在勃鲁托斯的理直气壮下，高声呼喊：凯撒该死！勃鲁托斯是英雄！

另一位演讲人上台了，他是凯撒的朋友安东尼。

安东尼：

朋友们，罗马公民，同胞们，请听我说：我是来埋葬凯撒的，不是来赞扬他的。人之为恶，即使死后，仍被人记得；人之为善，常与死亡同埋地下……

所以凯撒的好处，我们不必再提及，高贵的勃鲁托斯已经告诉你们凯撒野心勃勃；凯撒，因为他的野心勃勃，已经用生命，付出了代价……

凯撒是我的朋友，对我忠实公正，但是勃鲁托斯说他野心勃勃，而勃鲁托斯是个高贵的人。

凯撒曾经从战场上带了许多俘虏到罗马来，其赎款充实了我们的国库，在这一点上，凯撒野心勃勃吗？当穷人哭泣的时候，凯撒也一同流泪，有野心的人会有这种柔弱心肠吗？但是勃鲁托斯说他野心勃勃，而勃鲁托斯是个高贵的人。

你们记得在“卢帕克斯节”那一天，我三次把皇冠献给他，他三次断然拒绝，这是野心么？但是勃鲁托斯说他野心勃勃，而勃鲁托斯是高贵的人。

我不是说勃鲁托斯所言不实，我只是说出我知道的凯撒。你们曾经爱过他，这不是没有理由的，那么又是什么理由，令你们不为他伤悲，不为他流泪，甚至被杀了，满身流着鲜血，你们也以为理所当然？

你们的判断力到哪里去了？判断力哦，判断力已经奔到畜生群里去了，人们才因此如畜生般失了理性。请原谅我，我的心在棺材里陪着凯撒，现在我必须暂时停下来，等我的心回来……

安东尼的一番话，群众想起了凯撒的好，而高贵的勃鲁托斯却杀了凯撒，群众愤怒了。被激怒的群众，群起反抗，终致勃鲁托斯自杀身亡。

安东尼的这篇演讲，改变了罗马的历史。

这两篇讲稿，是《裘利斯·凯撒》这出戏的精华。从这两篇讲稿，也看出莎士比亚的口若悬河，滚滚而来的丰富语词，以及咄咄逼人的语气。这种雄辩的口才与精炼的文字，如果没有扎实的学识，没有深厚的基石，如何写成？

《裘利斯·凯撒》之后，让本·琼森无话可说。莎士比亚欲罢不能，继续又完成了《安东尼与克莉奥佩特拉》，这位克莉奥佩特拉就是当时的埃及艳后。莎士比亚的这部剧本，即使在四百多年后的现在，仍在上演，除了舞台剧外，还用最新科技拍成电影，《埃及艳后》由理查德·波顿和伊丽莎白·泰勒主演，风靡一时。

莎士比亚完成了两部古罗马历史剧后，引起观众对历史的兴趣。有一天，剧院经理伯比奇，把一本霍林斯赫德·拉菲尔（Holinshed Raphael）写的英国编年史交给莎士比亚，对他说：“我们英国的历史，也要让我们英国人知道，这个责任，就交给你了！”[1]

莎士比亚认真读霍林斯赫德的编年史，在伦敦的这段时间，莎士比亚又写了《亨利四世》上下两部曲。

## 《亨利四世》上下两部曲

亨利四世，从他登基为英王的那一天起，十五年来身陷苦恼，终年愁眉不展。莎士比亚若以亨利四世为主要角色，写出他的幽暗、沉重的一生，这种历史，即便重要，也没人爱看。但是莎士比亚的《亨利四世》[2]，却让人人喜欢，原因是莎士比亚创造了一个人人喜欢的角色——福斯塔夫。

福斯塔夫本是封建时期的骑士，封建制度瓦解后，福斯塔夫就成了破落户，骑士也到了英雄无用武之地。山穷水尽时，福斯塔夫到军中做了一名低阶层的士兵，偶尔上上战场，却常常偷懒，讲出来的话，土里土气；人又长得胖胖的，因为他经常做些欺弱怕强、掠夺穷人的勾当，大家都叫他无耻的大胖子。

---

1 詹姆斯·伯比奇是个很有远见的剧场经理人，他发现自从1588年，伊丽莎白女王的海盗船长杜拉克击败了西班牙的无敌舰队后，英国民众对英雄人物的热爱，对英国历史的认知，更为珍惜，历史剧也应运而生，而且普受欢迎，民众都相信，舞台上的历史，就是真实的历史。

2 亨利四世的前一位英王是理查德二世。所以亨利四世从登基的那一天开始，就被判定为名不正、言不顺的篡位。再加上理查德二世的死亡，国人都认定是被亨利谋杀，这是造成亨利四世日夜不宁的因素之一。理查德二世时，两大家族只是不和，亨利四世因处理不当，造成两大家族的王位争夺战，这场战争就是绵延三十年的蔷薇战争。

说他无耻，的确是名副其实。他到一个小客栈去，客栈老板是个软弱的妇女，是他可以欺负的人，他不但白吃白住，还敲诈勒索。反正，他遇到比他弱小的，他就高高在上，说他是贵族世家，说他武艺高强，吓得人家唯唯诺诺，不敢反抗。

如果遇到比他强悍的，他就装出可怜样，求人放他一马。等那些强人离开后，他就大骂特骂，他这种“精神胜利”法，和中国鲁迅创造出来的人物阿Q，有异曲同工之妙。

这样的人，当然有一群臭气相投的朋友，亨利四世的儿子——哈利王子，就跟他们在一起混吃混喝，他们把经常吃喝的酒店，取名为“野猪头酒店”。

有一回，福斯塔夫突发奇想，他跟另外三个野猪头伙伴合作，要到偏僻处抢劫过路的商客。他们把商客赶跑之后，当场就地分赃。然后，开开心心地拿着抢来的货品要离开时，忽然出现两个蒙面盗，福斯塔夫吓得拔腿就跑，捧在手上的赃物散落一地。

这两个蒙面盗中的一个，正是亨利四世的儿子——哈利王子。

之后，他们在野猪头酒店见面时，王子故意说：

“福斯塔夫，你们抢来的东西，拿出来看看吧。”

“唉，运气不好，有十个蒙面盗来抢我们。”

“你不是武艺高强吗，你没反抗啊？”

“当然反抗啊，我把其中一个打得头破血流！”

“真的吗？”

“当然真的，哦，不止一个，是两个。”

“只有两个啊，那也不算什么……”王子故意逗他。

“哦，不是两个，是三个。”

“是三个蒙面盗吗？”王子有耐性，慢慢磨他。

"是三个蒙面盗被我打得躺在地上……"

这就是福斯塔夫：一个爱说大话，吹牛不打草稿的小人物。这个小人物博得大家的喜爱。

斯宾塞说：莎士比亚给了我们一个大流氓，可是我们喜欢他！莎士比亚的朋友本·琼森说：福斯塔夫的放荡并不惹人讨厌，反而带来了欢乐！

饰演福斯塔夫的，正是理查德·伯比奇。第一流的编剧、第一流的演员，《亨利四世》风靡了整个伦敦。伊丽莎白女王也进到剧院来观赏这出戏，看得她乐不可支。剧终时，特别对莎士比亚奖励了一番。然后，命令他以福斯塔夫这样的角色，再写一剧。三个月后，莎士比亚完成了《温莎的风流娘儿们》。

## 《亨利五世》

《亨利四世》剧本及演出的成功，促成当时历史剧的流行。莎士比亚在伯比奇的压力下，继续写《亨利五世》。

亨利五世，就是和福斯塔夫鬼混的哈利王子。所以当亨利四世于1413年逝世，由鬼混王子继位后，福斯塔夫高兴得大叫："幸运啊，英王是我的哥们儿！"

可是，登上王位的王子，一改以前小流氓的作风，认认真真地做他的国王。而且，他对福斯塔夫下了封杀令：

"离我远点！"

"要离你多远？"福斯塔夫嘻皮笑脸地说。

"十公里！"

"如果在十公里之内，被你看到，会怎么样？"

“不怎么样，只是砍掉你的脑袋！”

福斯塔夫在亨利五世登基后，怕掉脑袋，自动消失了。

亨利五世从荒唐王子，奇迹似的变成一个励精图治、整军经武的国王。

亨利五世，也像他的祖先们一样，继续干涉法国内战，他认为法国王位本该属于英王，法王当然不肯放弃。1415年的10月25日，亨利五世为了争取法国王位，与法国在阿金库尔开战。全剧通过这场“阿金库尔战役”来描写亨利五世这个人物。

亨利五世是伊丽莎白时代，英国人心目中的民族英雄。他在阿金库尔一战中，指挥农民弓箭手参与战事，并与战士同甘共苦。他常在夜间巡逻军营，跟战士搏感情，鼓舞士气；他又善于演讲，堂堂正正一番话，讲得军士们热血沸腾，个个愿意一马当先，奋勇杀敌，抛头颅、洒热血，牺牲生命，在所不惜。结果英军以少胜多，打败了装备精良的法国贵族骑士大军。对英国人来说，亨利五世是象征凝聚民力的大英雄，他也是莎士比亚心目中的“理想君主”。

## 历史剧

完成《亨利五世》后，莎士比亚已经写过《亨利四世》上下两部和《亨利六世》三部曲，共计三个君王。他觉得应该继续写，而且有系统地来写，接下来他写了五位君王。

如果按照年代来排列：这八位君王是：约翰王[1]、爱德华三世[2]、理查二世[3]、亨利四世、亨利五世、亨利六世[4]、理查三世、亨利八

1 约翰王的叔叔，就是英国史上最有名的狮心王。狮心王无子，他将王位传给他哥哥的两个儿子：长子阿瑟与弟弟约翰。按照王位的体制来说，阿瑟为长，应为继承人。结果，兄弟反目成仇，阿瑟被约翰逮捕被杀。约翰自立为王，是为约翰王。约翰王在位期间，订定了大宪章，其中最重要的是：如果国王玩忽职守，可由25位贵族组成的议会，取而代之。讽刺的是，因约翰否认大宪章，贵族立刻制裁，废除约翰，迎接法王腓力二世之子路易继承英国王位，是为亨利三世。亨利三世在1265年的一场战役中阵亡。再继位的是亨利三世的儿子，爱德华一世。爱德华一世娶法王腓力的妹妹玛格丽特为妻。爱德华一世安排他的儿子（爱德华二世）娶法王的女儿伊莎贝拉为妻。爱德华二世被谋杀后，他的儿子爱德华三世继承王位。

2 爱德华三世继位，因他尚未成年，由其母——法国的伊莎贝拉为摄政代理人。爱德华三世成年后，为了争取法国王位，发动了百年战争。爱德华三世有六个儿子，黑王子是长子。黑王子是英勇的武士，打了几场胜仗，重振英国声威。但在战争的最紧要关头，黑王子生病了，没有力量与法国作战，内忧加外患，爱德华三世于1377年过世。继承王位的是黑王子的儿子，理查二世。

3 理查二世（1367—1400）继位时，只有十岁，所以由他的两位叔叔，兰卡斯特公爵和约克公爵共为摄政王。1399年，理查二世远征爱尔兰，为了战争的事，他对兰卡斯特的儿子不满，把他逼到国外。之后，这位被逼到国外的兰卡斯特家的儿子，偷渡回英后，发动政变，自立为王，是为亨利四世。

4 1471年5月21日，亨利六世被谋杀，约克公爵家族的爱德华四世继任王位。约克家族兴起，兰卡斯特王朝结束。爱德华四世1483年死亡时，他的长子只有十四岁，即登上王位。因年幼，爱德华四世的兄长理查以摄政王自居，辅助新君。不久，理查想废幼主，自立为王。但是，想要篡位，就得找个好理由。理查费尽脑汁，总算编出一个理由：爱德华四世的婚姻是不合法的。不合法的婚姻下生下的王子，当然无权继承王位。理查以此为由，立刻逮捕幼主，自立为王，是为理查三世。理查三世是杀害侄子的凶手，所作所为，令人不齿，引起公愤，兰卡斯特家族的亨利都铎，顺应民情，起而反抗，在博斯

世[1]。以上八位英国君王，其中《亨利六世》是三部曲、《亨利四世》是上下两部，共计11部剧本。如果一页一页地翻，怕也要翻个几天，何况要一个字一个字地写。如果没有坚强的耐力，没有学富五车的知识，没有对答如流的口才，没有强烈的使命感，没有天生的创造力，如何达成如此壮观的成就，但是，威廉·莎士比亚就是做到了！

## 盾形徽章

威廉·莎士比亚在剧本的创作上，带动了戏剧的蓬勃发展，观众涌向剧院。受到这股风潮的影响，剧场生意兴隆，场场客满。

面对这种景象，最高兴地当然是伯比奇父子和莎士比亚，尤其是莎士比亚，他是演员、编剧又是剧场的股东。这段时间，莎士比亚努力耕耘，颇有收获。

他把赚来的钱，寄给他的父亲，要他父亲买房地产。1597年4月的一天，他寄了一大笔钱回家，他父亲买了一栋大宅院，有前后花园和两个谷仓，是斯特拉特福最阔气、豪华的房子，并取名“新坊”（New Place）。

这一年，莎士比亚也为他父亲申请了一枚家族的徽章，申请单位知道莎士比亚在戏剧界的贡献，这份荣誉，是值得颁赠的。申请单位请人

---

沃里一战，理查被杀，亨利七世被拥为王，建立了兰卡斯特的都铎王朝。亨利七世在位期间，最理智的做法，是他与约克家族的伊丽莎白结婚，而终止了两大家族的蔷薇战争。内政方面则压抑贵族，扩张王权，发展商工，奠定都铎王朝富强的基础。继亨利七世为英王的，是亨利八世。

1 亨利八世为伊丽莎白女王的父亲，是莎士比亚离开伦敦，回到斯特拉特福家乡写的最后一部历史剧，本书第三章中会有介绍。

设计了一枚盾形的徽章，顶端是两枝交叉的长矛，长矛之下，是一只目光锐利的老鹰。

这一年，在斯特拉特福的市志上再度记载了这件大事："约翰·莎士比亚是有房地产的富人，荣获盾形徽章一枚。"

## 寰球剧院

威廉·莎士比亚把赚来的钱寄回斯特拉特福的老家，伯比奇父子则用赚来的钱，在伦敦泰晤士河的南岸，买下一块很大的土地。

有一天，伯比奇父子来找莎士比亚，告诉他唯一剧院的合约快到期了。

"也就是说，我们没有自己的剧院了。"伯比奇有些伤感地说。

"把合约给我看看。"莎士比亚说。

莎士比亚边看边问：

"这张合约是1572年订的，期约是25年，也就是说，1597年底就到期了。"

"所以，我们要早作准备，搬离这里。"

"当初订约时，土地上有没有建筑物。"威廉问。

"没有，那时候，只是一片空地，剧院是我们自己请专人设计，材料是我们买的，也是我们自己花钱建造的。"伯比奇说。

"那就对了，合约上写得很清楚，合约到期时，只须归还土地，地上的所有物，仍归你们所有。"

"有剧院，没有土地，有什么用？"伯比奇沮丧地说。

"当然有用！"莎士比亚高兴起来。

伯比奇看着莎士比亚，还是不懂。

“剧院是你盖的，把唯一剧院搬走就行啦！”威廉说。

“怎么搬？”

“找一些工人，雇一艘大船……”

唯一剧院在泰晤士河的北岸，伯比奇新买的土地在泰晤士河的南岸……

忽然间，伯比奇懂了，接着说：

“工人把我们的剧场拆下来，把材料放到船上，横过泰晤士河，就是我的土地。然后，用原来的材料，把剧院再建造起来。”

“但是，新建的剧院一定要比旧的好，比旧的大！”

“而且，是伦敦最好的剧院！”伯比奇有自信地说。

次年，1598年，泰晤士河南岸增加了一栋外形八角形的建筑物，在大门的进口处，刻着几个斗大的字“世界是个大舞台”，这就是寰球剧院的外形。

寰球剧院的内部是圆形的，围绕着舞台的是三层豪华的包厢，剧场中央的部分，是一排排舒适的座位。整座剧院可容纳2500人，而且不受阳光和雨淋的影响。

寰球剧院开场后，威廉·莎士比亚仍是股东，而且股份的分配是伯比奇父子占二分之一，莎士比亚和另外四位演员占二分之一，莎士比亚的剧本费另算。莎士比亚在寰球剧院开业后，财源滚滚而来。

## 悲剧时期

就在莎士比亚事业稳定的时候，1599年，他的独子哈姆尼特（Hamnet）死了。但是思念儿子的心情，永远留在他的心中。他的四大悲

剧之一——《王子复仇记》中的王子，哈姆莱特，跟他儿子的名字发音极为相似，只差一个字母。

1601年，他的父亲约翰·莎士比亚在斯特拉特福过世。

1607年，他的弟弟，也是演员的埃德蒙过世。紧接着，他的另外两个弟弟也死了。1608年，他的母亲玛丽过世。亲人的相继死亡，让他感受到生命的短暂以及失去亲人的痛苦。这期间唯一的好消息，是他的女儿苏珊娜嫁给剑桥毕业的医生约翰·霍尔。苏珊娜生了一个女儿，莎士比亚做了外祖父。

他将个人的悲愁融入作品，写就了他著名的四大悲剧。但是莎士比亚进入悲剧的创作，也不全是他个人的因素。现在，我们来谈谈这个“外在因素”的时机：

伊丽莎白女王在位时期，是英国文风最盛的时候，歌功颂德是当时流行的文体，许多华丽的辞藻都献给了她。1603年，她逝世后，继位的是她侄儿詹姆斯一世。

詹姆斯时期，天文学家哥白尼发现太阳是宇宙的中心说。科学的发现困扰了人心，造成宗教意识的阴影。此外，伊丽莎白女王终生未婚，王位继承问题，困扰了英国的民众，造成不稳定的情绪。种种因素下，形成了“詹姆斯时期”的悲观态度。

新国王詹姆斯对戏剧非常重视，也非常喜欢看戏，莎士比亚所属的剧团常常入宫，为国王演出[1]，新国王指示把莎士比亚所属的“宫内大臣剧团”改名为“国王供奉剧团”。

这张盖有国王大印的文件是这样写的：“所有治安官、市长、警察、镇长等官民，朕开恩特许我的仆人理查德·伯比奇……威廉·莎士比亚……

1　莎士比亚的《仲夏夜之梦》在詹姆斯国王的赞助下，拨下大笔经费和人力支持，得以登上舞台，一夕之间，名满英伦。从此，《仲夏夜之梦》成为浪漫派喜剧的经典之作。

可自由演出喜剧、悲剧、历史剧、插曲剧、牧歌剧等，朕命令你们不仅允许他们到各地演出，而且在他们遭遇到任何困难时，都给予协助……”

莎士比亚同时也被任命为宫廷内侍。

虽然受到国王的青睐，但亲人的相继离去，仍无法医治他的忧郁，他把他心中的死亡与忧郁编进剧本，写出了《哈姆莱特》。

## 《哈姆莱特》

《哈姆莱特》又名《王子复仇记》。

哈姆莱特是丹麦王子，他的父王是个神勇雄姿、武艺高强的国君。他曾经和骄矜好胜的挪威王单挑独斗。挑战的结果，这位丹麦王赢得了胜利。

不久，丹麦国王在花园午睡的时候，被蛇咬了一口，中毒而亡。继承王位的，不是他的儿子哈姆莱特，而是国王的弟弟（哈姆莱特的叔叔）。这位叔叔接掌了国君的宝座后，居然不顾伦理，娶了新寡的王后（哈姆莱特的母亲）。

事情发生的当时，哈姆莱特王子在威登堡求学。他从威登堡赶回丹麦参加父亲的葬礼，不到两个月，又参加了母亲的婚礼。

父亲葬礼后的一天，和他一起长大的好友霍拉旭来找他，告诉他城堡前的露台上出了怪事，连续两个晚上，有个鬼魂出现。鬼魂的外形很像他的父亲，而且身上的衣着，正是他父亲和挪威王决斗时穿着的甲胄。好友问王子要不要去看看。

王子去了，夜半的时候，鬼魂[1]果真出现，而且对他招手，似乎有话要

1 当年上演此剧时，由莎士比亚亲自演这个角色。

说。王子跟了过去，鬼魂对他说：

“哈姆莱特，我是你的父亲。”鬼魂说话。

“你是人还是……”王子惊讶地问。

“我是被你叔叔害死的。”

“他怎么害你？”

“他趁我在花园里午睡的时候，悄悄进来，拿着一瓶毒草汁，灌进我的耳朵里，我就这么死了。儿子啊，你要替我报仇！”

“我会的，父亲。”

“天快要亮了，我要走了。”

鬼魂走后，王子想，用什么方法报仇呢？

他想到装疯……

第一个发现他疯态的，是他的女朋友奥菲利娅。

奥菲利娅的父亲是叔叔国王最信任的御前大臣波洛涅斯。

波洛涅斯不赞成女儿和王子的恋爱，而且命令女儿，断绝和王子往来。

她还有一个哥哥，名叫雷欧提斯，也不赞成妹妹和王子恋爱。他告诫奥菲利娅说：“……也许他现在是爱你，这真诚的爱是纯洁而不带欺诈的。但是你必须留心，现在他是王子，将来可能是一国之主，他的爱情并不属于他自己。他不能像一般老百姓一样，为自己选择，因为他的选择会影响到全国人民的安危……所以留心！最好的方法，就是离开他！”

奥菲利娅在父亲和兄长的压迫下，不得不离开王子。王子为了复仇，也不得不离开奥菲丽亚。一对情人陷于苦恋中。

哈姆莱特王子装疯以后，他的叔叔国王非常担心。

其实哈姆莱特的内心，对那个鬼魂十分怀疑，到底鬼魂告诉他的事，是真？是假？或者鬼魂根本就是恶魔的化身，是来欺骗他的。这样的想法，使他对报仇的行动，犹豫不决。

正好在这个时候，宫廷里来了一个戏班子，他们要在国王面前演戏。

王子知道后，想到一个办法，他把鬼魂告诉他谋杀的过程，写成台词，叫演员演出来。然后，王子对剧团里的一个演员说："明天演出的时候，我可能会写下十几行的台词，插到你的剧本里，你能够预先把它们背熟吗？"

演员说："可以的，殿下。"

王子对他的好友霍拉旭说："明日演戏的时候，请你注意看我叔叔的表情，尤其演到谋杀国王的那一段，特别留意。"

"有用吗？"霍拉旭问。

"戏剧反映人生，如果他有激烈的反应，表示鬼魂告诉我的事，是真的。到那时，我就可以下手了……"

果然，当戏演到国王在后花园午睡时，国王的弟弟拿了一瓶毒草汁，走进花园后，悄悄地把毒草汁灌进正在睡梦中的国王。演到这里，正在看戏的叔叔国王，忽然大叫："不要演了！"然后，气愤地站起来，匆匆离开。

看到叔叔国王的反应，哈姆莱特可以确定，鬼魂告诉他的事是真的。这个时候，王子决心报仇。可是，为时已晚，因为叔叔国王已经知道，他谋杀哥哥的事已被王子知道了。叔叔国王的下一步，就是要除掉王子。他要御前大臣随时注意王子的行踪。

这个时候的王子，最关心的人是他的母亲，王子想知道：她母亲对谋杀的事情，是一无所知呢？还是事前知晓并参与谋杀？

王子要去和母亲谈谈。

御前大臣波洛涅斯听见王子说要去见母后，御前大臣想到一个妙计，他告诉国王，他先躲在帐幕后面，听他们母子怎么说，然后，再来向国王报告。

御前大臣离开后，叔叔国王心里害怕，跪在地上祈祷说：他心里很后悔，不该杀害兄长，让他的灵魂好像背负了一个很大的诅咒，求上帝赦免他杀人的重罪。

王子正巧看到叔叔国王跪在地上忏悔，这个时候，只要拔出剑来，就是绝好的复仇机会。但是，他没有这么做，为什么？因为他说："叔叔国王正在祈祷，如果这个时候杀他，天堂的门是为他开的。所以，他一定要趁叔叔国王不注意时杀死他，让他永远在地狱里受煎熬。"

错失了这次良机后，王子来到他母后的房间。

御前大臣波洛涅斯躲在帐幕后面。

母子正谈着话，说到激动处，王子抓王后的手。王后以为儿子发了疯，就高喊救命，这时，帐幕后面也有人叫喊起来，王子以为是国王在偷听，拔出身上的剑，向帐幕刺去，刺中御前大臣，大臣当场毙命。母后吓得尖叫，王子却冷静地把尸体藏好。

御前大臣波洛涅斯的死，让国王提高了警觉。波洛涅斯是国之大臣，死得不明不白，会引起政治危机。国王要找到尸体。

"御前大臣到哪里去了？"叔叔国王问。

"他本是泥土，我仍旧让他回到泥土里去。"王子说。

"哈姆莱特，告诉我，他究竟到哪里去了？"

"吃饭去了！"

"吃饭去了，在哪里吃？"

"不是在他平时吃饭的地方，而是人家吃他的地方。有一群精明的蛆虫，正在他身上享受大餐。"

"告诉我，波洛涅斯到底在哪里？"

王子就是不说。

御前大臣的死，令国王着急了起来。他决定要赶紧除去王子。

国王把王子的两个童年玩伴叫来，要他们陪王子到英国皇家去找朋友散散心。

然后，暗中写一封公文给英国国王。公文里写着：“为了丹麦和英国双方的利益，绝不能让哈姆莱特这个危险分子逃脱，接到公文后，立刻砍下他的脑袋。”

在旅途中，哈姆莱特偷到这份公文，拆开一看，原来是叔叔国王要借英王之手害他。哈姆莱特立刻伪造了一份公文，他是以国王的名义，向英王提出恳切的要求：“请你在读完来信后，立刻把送信来的使者处死。”最幸运的是，王子哈姆莱特的衣袋里正巧藏着他父亲的印章，它跟国玺是同一个样子。

哈姆莱特盖上印章，把伪造的国书照原来的样子折好，签上名字，小心地把它封好，归还原处，一点也没露出破绽。

他们在海上的第二天，有一艘海盗船向他们追击，两船相碰的刹那，哈姆莱特跳上了海盗船逃走了。哈姆莱特做了他们的俘虏。陪他同去英国的两个朋友，带着王子伪造的信，到了英国。

王子安全地回到丹麦后，狠心的叔叔国王一计不成，决定再设一招毒计。

这个毒招是由御前大臣的儿子雷欧提斯来执行的。

雷欧提斯原本在法国留学，听到父亲被杀的消息急速回到丹麦见国王。

国王知道雷欧提斯是剑术好手，他设局鼓励雷欧提斯和王子比赛，把王子杀死。

两人还设下了毒计，在雷欧提斯用的剑头上，涂上毒性很强的毒汁，这种毒汁，一碰到血，立刻致人于死。

国王也准备好毒酒，酒里放了珍珠，只要让王子先赢一局，国王赐

酒给他，王子必喝国王的赐酒，喝下就死！

其实，狠毒的国王，已经想好，他不仅要借雷欧提斯之手杀死王子，也要一并把雷欧提斯处死，所以国王把比赛时所用的剑，全部涂上毒汁。

比赛的时候到了。

王子的母亲也来为王子加油。

王后来的时候，带了一个坏消息：

“雷欧提斯，你妹妹奥菲利娅死了！”

“怎么死的？”

“在小溪旁的一株柳树下，溺水而亡。”

雷欧提斯的父亲被王子刺死，妹妹也因为和王子的恋情不稳定，自溺而亡。如此看来，本剧中的悲剧人物，不只王子一人。雷欧提斯忍着悲伤，向王子挑战。

比武开始了……两个年轻人，走进斗剑场。旁观者有国王、王后、哈姆莱特的好友霍拉旭以及其他人。

国王说：来！开始比赛吧。

第一局，王子哈姆莱特赢了。

国王说，拿酒来，把酒里的珍珠赐给王子。

哈姆莱特说：“让我先比赛，暂时把它放在一旁。”

哈姆莱特又赢了。

王后好高兴，对儿子说：“哈姆莱特，用我的手巾擦去你头上的汗。我为你喝下这杯酒，祝你胜利！”

王后拿起毒酒，举起杯，正要喝……

国王大声叫着说：不要喝！

王后已经喝下。

两人又比起剑来，雷欧提斯的剑刺中哈姆莱特。哈姆莱特倒地、流血。

王后倒地。

“母后，你怎么啦？”

“她看见流血，吓得昏过去了！”叔叔国王说。

“不！不！那杯酒。啊，我亲爱的哈姆莱特，那杯酒……那杯酒……我中毒了。”

王后倒地，死去。

“恶毒的阴谋。把门锁上，查出来是谁干的！”哈姆莱特说着，趁雷欧提斯不注意，手中的剑刺中雷欧提斯。

雷欧提斯也倒地、流血。

雷欧提斯对王子说：“我用诡计害你，反而被国王所害，这也是我的报应。”

王子听完，知道一切都是叔叔国王设计的。王子情急之下，用剑刺中正得意的叔叔国王，王子说：“这刀锋上还留有毒药。毒药，发挥你的力量吧！”

国王倒地，死去。

“这毒药是国王亲手调制的。尊贵的哈姆莱特，让我们互相宽恕吧！我不怪你杀死我的父亲，你也不要怪我杀死你。”

雷欧提斯倒地，死去。

“霍拉旭，我死了，你还活在世上，请你把我的事昭告世人，解除他们的疑惑。”

王子倒地，死去。

王子的复仇，自己也赔上了生命！

（剧终）

莎士比亚创作的《哈姆莱特》，有他的特性，有他的宗教哲学，甚至有学者说此剧有“恋母情结”的倾向，这些都是研究莎学者感兴趣的题目。不过若从剧本里的语言文字来欣赏，仍可欣赏到文字的优美，以及创作者的智慧。众多的莎士比亚名言，正出自此剧，如：

雷欧提斯去法国留学时，他的父亲波洛涅斯对他的诫训：

◎倾听每一个人的意见，可是只对极少数的人发表自己的看法。

◎接纳每一个人的批评，却要保留自己的判断。

◎尽你的财力购买贵重的衣物，但是不要标新立异，必须富丽而不浮艳，因为服装往往可以表现人格。

◎不要借钱给人，因为借钱与人，不但丢了本钱，也失了朋友。

◎不要向人借钱，这会养成因循懒惰的习惯。

◎必须对自己忠实，对自己忠实，才不会欺骗别人。

◎不要想说什么就说什么，凡事三思而言。

◎避免和人争吵，可是万一发生争端，就要让人知道你不是可以欺侮的。

◎不要对人泛泛之交，滥用你的感情，可是经过试探的朋友，你要用钢圈箍在你的灵魂上。

哈姆莱特对他的爱人奥菲利娅说：

◎上帝给你们一张脸，你们却用脂粉，为自己创造了另一张脸。

哈姆莱特对母后的不满：

◎脆弱啊，你的名字是女人。

哈姆莱特对自己的不满：

◎重重的顾虑，使我变成了懦夫。

除了这些常听到的谚语外，哈姆莱特的人格特质，也是莎士比亚学者研究的主题。他们共同的问题是："为什么哈姆莱特不立刻报仇？"

如果哈姆莱特趁他叔叔祈祷的时候，一剑杀了他，不仅立刻可为父亲报仇，也不会有后续的死亡。

对这个问题，歌德说得好。歌德把哈姆莱特比喻为一位公子，而不是一个英雄，报仇的事他不配干，也不会干，所以对事情的处理才会犹豫不决。

研究哲学的专家说："哈姆莱特是多感而犹豫，多虑而延迟。一个思想特别发达，行动特别迟缓的人。"

一些宗教人士认为："虽然国王的确有杀兄之罪，但照基督教义来讲，不经审判而自己动手杀人仍是犯罪。所以在哈姆莱特的心里，我们可以看出基督徒与自然人之间的挣扎。"

医学界的读者在阅读这个剧本的时候，是以医生的专业来检视哈姆莱特，用现代的说法是：哈姆莱特患有"忧郁症"。

莎士比亚的《哈姆莱特》，引发各个阶层的专家学者去研讨、去深究。在当时，演出此角色的理查德·伯比奇被公认为英国最伟大的悲剧演员。此剧中充满悬而未决的问题特色，这种哲学式的犹豫，形成当时悲剧的范本。

# 《麦克白》

主要角色有：麦克白、麦克白夫人、苏格兰王邓肯、班柯大将、麦克德夫、三个妖婆

麦克白是一位勇敢的战将，一开场，借着一位受伤的军官，把麦克白在战场上的英雄事迹表扬一番："勇敢的麦克白，他置生命于不顾，挥着血迹斑斑的钢刀，杀开一条血路，杀到那敌人的面前，从他的头顶，一刀把他剖开，敌人的脑袋就这么挂在我们胜利的旗杆上。"

在军营中坐镇的苏格兰王邓肯，听后深受感动，当场就下了两道命令，第一道是把与敌人同谋的考特爵士立刻处死；第二道命令是把这个空出来的爵位赐给麦克白。

这个时候的麦克白已经在战场上取得胜利，和他的手下大将班柯骑着马经过一片荒野。荒野中忽然出现了三个妖婆。

一个说："麦克白，向你敬礼了，葛莱密斯爵士！"

一个说："麦克白，向你敬礼了，考特爵士！"

一个说："麦克白，向你敬礼了，将来的国王！"

麦克白原本就被封为葛莱密斯爵士，所以当第一个妖婆称呼他是葛莱密斯爵士时，是他当时的身份，他一点也不惊讶。可是当第二个妖婆称呼他为考特爵士时，他摇摇头，心想，不可能，考特爵士还活着呢，妖婆叫错了。最不可能的是第三位妖婆，居然尊他为将来的国王。国王？现在的国王是邓肯；将来的国王……一连串的预言听得麦克白满是疑问。虽是悦耳的事情，却也令人害怕……

和他同行的班柯对妖婆说，如果你们真能预言将来，那么说说我吧！

妖婆告诉班柯："你将生出无数国王，虽然你自己不能成为国王。"

妖婆说完就消失了，可这两个人还沉醉在预言中。

麦克白说："你的子孙将要为王。"

班柯说："你将要为王。"

正说着，奉国王命令来慰劳麦克白的人，一看到他就大声地报告："国王已经得到你的捷报，对你亲手杀敌的英勇，盛赞你保国卫民的功绩。国王已先封你为考特爵士，命我引你前去觐见国王。"

这几句话，说得麦克白惊喜万分：原来预言成真了！

那么，他也是将来的国王吗？要做国王……除非……他杀了国王邓肯！

想到这里，麦克白一阵胆战心惊。

他对自己说："那三个妖婆一定是故意害我：为什么给我预言。如果这些预言是善意的，为什么我听到这些诱惑，我心中的杀意立刻使我毛骨悚然，令我的身心动摇，完全被空虚的妄想支配。"然后他又安慰自己："如果机缘要我做国王，机缘自然会给我王冕，用不着我去张罗。"

机缘来了，国王邓肯要到麦克白家做客。

麦克白先写了一封信给他太太，把妖婆的预言和国王来访的事悉数告知。

夫妻俩一见面，做太太的已经精心妥当地安排好谋杀的细节，她对麦克白说："你只要装出一副坦白无邪的表情，其余的一切，统统交给我。"

好能干的老婆！

麦克白是下不了手的，因为国王并非十恶不赦的昏君，相反的，在麦克白的观念里，邓肯为人谦逊、从政廉明。对这样的国君大开杀戒，麦克白只会"心虚手软"，难以下手。麦克白的夫人不一样，她对杀人的细节，

计划得仔仔细细，安排得妥妥当当，只要老公配合，定将是一位准王后！

谋杀开始……

首先她用酒灌醉国王的两名贴身随从，趁邓肯熟睡之际，麦克白先杀了邓肯国王，之后，再把两名随从杀掉。两把染满鲜血的刀，放置在国王身边。

刹那间，三条人命，轻轻松松地解决了。

麦克白看着沾满血的双手，对夫人说："我手上的血，似乎流也流不完，这样下去，会把大海都染红了！"

麦克白夫人说："我的手也和你的一样颜色。我们回房去吧，只要一点水，就把我们洗刷得干干净净，那是多么容易的事！"

天亮了，哭声震天：国王的随从杀了国王！

但是谁又杀了随从呢？麦克白承认是他杀随从的。

原因是当他发现国王的尸体，银白的皮肤上淌着赤红的鲜血，伤口就像崩塌的山口时，他是又惊恐、又狂暴、又害怕。谁还能在这个时候保持镇静、保持中立呢。所以他在极度愤怒中，杀了那两个随从。

这时候的麦克白夫人，立刻配合演出，假装因惊恐伤心而晕倒在地，她被人抬了出来。夫妻俩演完这出剧后，麦克白被拥立为国王，进了皇宫，夫人做了王后。

班柯冷静地在一旁观看，心里想："你终于得到了王位，正如妖婆所预言的，如果没错，你一定用了非常卑鄙的手段。只可惜你的子孙却不得继承，而我的子孙才是未来的帝王……"

班柯想到的，麦克白也想到了。

麦克白对自己说："我现在最怕的人是班柯。只要他活着，我永远在恐惧中。妖婆说他是帝王之父。那么，戴在我头上的皇冠和握在我手中的宝杖，我自己的子孙不得继承，却被他的子孙横刀夺去？果真如此，我岂不是为班柯的子孙而杀死国王邓肯！与其这样，还不如现在就和他拼个你死我活！”

为了拼个你死我活，麦克白再度派凶手去杀班柯，而且严格要求，一定要杀死班柯和班柯的儿子弗里恩斯。结果，班柯的头部被砍了二十几刀，倒在沟里死了。他的儿子弗里恩斯却逃走了。

听到这个坏消息，麦克白只说：“大蛇已经死在那里，在逃的小蛇现在还没有牙齿，将来会生毒液，明天再说吧。现在，要去皇宫宴请大臣。”

披着王袍、戴着皇冠的麦克白，进了大厅，他的大臣们都在恭候他的大驾。他明明杀了班柯，还故意说：“班柯怎么不来呢？我真要责备他的不赏光！”

话说得光明磊落，恐惧仍在心头。所以当大臣们请他入坐的时候，他环顾四周，没有空的座位。

麦克白说：“座位都满了。”

一位大臣说：“这里留着你的大位呢！”

麦克白看到那个为他留着的大位，坐在位子上的正是被他杀死的班柯。

麦克白吓得大叫：“你们不能说这是我干的！”然后对着座位恳求：“班柯，永远别向我摇晃你带血的头发……”

骗得了别人，骗不了自己！

麦克白的夫人一看情况不对，对大家说：“国王有病。”

麦克白仍然盯着那个空的座位说：“在古代，杀人流血的事是经常发生，在这以后，还会发生。从前，人死了，完事大吉。但如今，头上挨了二十几处致命的伤口，仍能回转过来，安然无恙地坐在位子上。这比杀人

的事还奇怪！”

麦克白是病了，但是他知道病的起因，就是那三个妖婆的预言。解铃还须系铃人，麦克白再去找那三个妖婆。

一个妖婆告诉他：“留心麦克德夫！”

另一个妖婆告诉他：“放心！只要是女人生出的人，都无法伤害你。”

第三个妖婆告诉他：“麦克白永远不会被征服，除非勃南的大森林会走路，走到邓西嫩的高山来攻击你。”

麦克白一听放心了，大胆地说：“麦克德夫，你不是女人生的吗？森林怎么会走路？我，何必怕你！”

心病还是要用心药医。一服心药，麦克白的“病”好了。不必再担心麦克德夫了。说起麦克德夫这个人，他是苏格兰的贵族，是忠于邓肯国王的大臣。

话说事发前，当邓肯国王到麦克白家做客时，麦克德夫也去了。暗杀后的第二天早晨，麦克德夫去叫醒邓肯国王时，发现邓肯国王和两个随从已经被杀。他带着王子逃到英格兰，躲了起来。

麦克德夫逃跑，让大臣们对他心生疑惑，以为他杀了国王后一走了之，还带着王子做人质。连麦克德夫的太太，也怀疑他犯下弑君之罪。她说：“麦克德夫究竟做了什么事？丢下妻子儿子，丢下房屋家产，独自逃亡？”

麦克德夫和王子逃到英国后，得到王子舅舅西华德的兵援，在麦克德夫的率领下，英军在勃南森林驻扎。

英军要反攻的消息传到了麦克白那里。麦克白放心地说：“不必再来报告；让他们叛变好了；除非勃南移到邓西嫩，我是不会惊吓成病的，何况麦克德夫算什么，他不是女人养的吗？那预知人类的精灵告诉过我：

‘麦克白，别怕：凡是女人生出来的，都不能压倒你。’所以，你们别担心，享乐去吧！”

当他们在享乐的时候，麦克德夫和王子带领的英军已经到了勃南。看到这一片森林，王子要每个兵士砍下一根树枝，像拿旗杆似的在胸前擎着，以作遮掩，使敌方在侦探他们时，摸不清楚人数。所以当他们向麦克白驻扎的邓西嫩高原前进时，整个英军就像一片森林向高山移动。

一个士兵匆忙地跑到麦克白前报告说：王后死了。

麦克白说：“她以后也必定要死的，早晚有这样的消息来到。明天，明天，又明天，光阴就这样一天天地移步向前。每一天都照耀着愚人走上归尘的死路。”

另一个士兵匆匆忙忙跑到麦克白前报告说：勃南那边的森林动起来了，而且正向他们驻扎的高原前进。

森林会动？麦克白当然不相信，把这个士兵骂了一顿，但是心里是害怕的，他说：“我开始对妖婆的话感到恐惧！”然后命令他的部下：“拿起兵器，如果他们所说的真的实现，那就无所逃避、无所留恋。敌人，你来吧！至少我们死的时候要披着盔甲！”

从这句话来看，麦克白还不失英雄本色。

两军在邓西嫩高原开始厮杀，麦克白和麦克德夫遇上了。麦克白说：“在所有人中，我只躲避你。但是回去吧，我的心里已经装满了太多的血。”

他不想再杀人了，充满血腥，太可怕！

麦克德夫说：“我没有话说，我的话在我的刀上！”

麦克白说：“你是白费力，我是有护身符的：‘女人生的人，伤不了我的！’”

“女人生的”这几个字的意思，应该是自然生产，是经由产道，自然

出生的。而麦克德夫不是，他说："别指望你的护身符了，让我告诉你，麦克德夫是在落地前，从他娘的子宫里剖腹出来的。"[1]

麦克德夫的话让麦克白吓得失了魂魄，立刻说："我不再相信魔鬼。"

说话间，麦克德夫的刀已经架在麦克白的头颈上了。

麦克白说："我不能降，虽然勃南森林到了邓西嫩，虽然你不是女人生的，但是我还是要做最后一搏，来吧！"

死到临头，仍有是英雄气概。

麦克白死了，头颅被砍了下来！

在麦克德夫和所有军队的拥护下，邓肯的儿子做了苏格兰王。

（剧终）

麦克白的悲剧是罪犯的心理描写：由野心，而犹豫，而行动，而恐惧，最后因恐惧而疯狂，这一连串的心理变化，莎士比亚有深刻的描写。他要告诉观众的是："一个恶念，会引起一连串的恶果。"

他的妻子怎么会忽然死的呢？

还记得她和麦克白双手沾满血的时候，她对麦克白说："……只要一点水，就把我们洗刷得干干净净，那是多么容易的事！"

水可以洗刷手上的血，但是洗不掉心上的罪。每当麦克白夫人洗手的时候，盆里的水变成了血；每当她喝水的时候，杯里的水变成了血。这就是水的妙用！

麦克白夫人死了，她的死因也和他夫君一样——贪婪！

此剧之所以成为悲剧，就是因为"贪婪"这恶因子，腐化了麦克白夫

1 在17世纪初期，英国已有剖腹生产的医术。莎士比亚的一个女婿，是剑桥毕业的医生。莎士比亚很巧妙地把这种信息用在他的剧里。

妇的灵魂，看他们凶残的手段，看他们一步步迈向疯狂与死亡，这种效果，给人惊叹，让人警惕。

尤其是一个英雄，被自己的欲望逼上绝路，更令人惋惜……

莎士比亚的另一悲剧《李尔王》，则是亲情戏。

## 《李尔王》

《李尔王》这出剧，由两个家庭组成。

一个是葛罗斯特爵士的家。这位爵士有两个儿子，长子埃德加、次子埃德蒙。

另一个是李尔王的家。李尔王有三个女儿、三个女婿。

我们先从葛罗斯特爵士家说起。爵士对他的两个儿子，心有偏差，他喜欢的是次子埃德蒙，因为埃德蒙是爵士的私生子，不但生得聪明伶俐，又善于察言观色。爵士虽然很爱这个私生子，可是这私生子却有一肚子的委屈，他说：

“何谓私生子？和良家妇女生出来的儿子比起来，我的身躯不是同样的结构，胸襟不是一样的宽阔，面貌不是一样的俊美，为什么我是私生子？”

这个私生子的确生得比哥哥英俊。哥哥埃德加，因为是合法的婚生子，依法律上的规定，是合法的继承人，他父亲的爵位与家产全属于他。

为了继承权，私生子弟弟要害死哥哥。

他设计了三个陷阱：首先，他私自伪造了一封挑拨离间的信，引起老父对哥哥的不满；第二，他故作同情地安慰哥哥，促使哥哥畏罪逃离家庭；最后，他轻轻地在父亲面前点一把小火，气得父亲立刻派人去逮捕

逃亡的哥哥，逼得埃德加无立足之地，只得逃离城市，到偏远的乡村，隐姓埋名，乞讨度日。

现在该让李尔王出场了。

大不列颠国王李尔王老了，他把国土分为三份，作为女儿的妆奁。分配的方法，是看女儿对他的爱有多少来决定。他的大女儿说："我爱你胜过自由、生命，胜过世上的一切。"二女儿说："我只有在你的宠爱中觉得幸福。"小女儿说："陛下，你生我、养我、爱我，我也会恰如其分的服从你、爱你、尊敬你。但是我出嫁之后，我会把一半的爱给我的丈夫、给我的家庭，我不能专爱父亲一人。"

小女儿的话，惹怒了李尔王，不仅把二份国土完整地送给两个甜言蜜语的女儿，还把小女儿的一份再分送给"爱"他的两个女儿，把不爱他的小女儿嫁给法国国王，对她说："最好不要让我再看到你"，就把小女儿送去了法国。

李尔王对两个爱他的女儿说："我把我的政权、尊荣，以及所有的一切，都交给你们两个，连我头上的这顶金冠也由你们两个均分了。至于我自己，保留一百名侍卫，由你们供养，我按月轮流与你们同住。"

李尔王放下了权利地位后，带着一百名侍卫，和几个仆人，住到大女儿家。仆人中有一个御医肯特爵士，因为他一向敬重国王，爱他如父。他是个聪明人，知道口说无凭的话，是信不得的。所以，他悄悄地改头换面，装成仆役，也跟着李尔王浪迹天涯了。

他们在大女儿家住了不久，大女儿整天愁眉苦脸，李尔王问他，为什么老是皱着眉头。

大女儿对李尔王的回答竟是：

"你也不好好管管你带来的人。你年纪这么大，又做过一国之君，你应该是聪明的。可是，你看看，你在这里养了一百名侍卫，把我的宫廷扰得乱七八糟。所以我请求你，把你的侍卫减少一点，否则我就强制执行。”

李尔王听了，当然生气了，他说：“忘恩负义啊，你这铁石心肠的鬼，我不打扰你了。备马，幸好我还有一个女儿。”

大女儿不但不挽留，反而说：“随你发疯去吧！”

李尔王忍耐下来，仍住在大女儿处，几天后发现，他带来的一百名侍卫，只剩下五十名。

他问大女儿，我的五十名侍卫到哪里去了？

大女儿回答说：“哼！让你在这里拥有一百名侍卫，我们的性命就由你摆布了。”

李尔王听见这样的话，气得流出眼泪，他说：

“你真是岂有此理，居然把你老爸气得老泪纵横。唉，真想不到，我会落到这般地步？幸好我还有一个女儿，她一定是孝顺的。”

李尔王还有二女儿。他曾把他国土的二分之一给了她，难道她也会像大女儿一样，不给他立锥之地吗？

李尔王写了一封信，由忠心耿耿的“仆人”肯特爵士先行出发，告知二女儿里甘，做父亲的要来投靠她来啦。

想不到的是，大女儿也写了一封信，打发人赶快送给她妹妹，告诉她这里发生的事。

两个送信人几乎同时到达二女儿里甘的城堡，里甘先看姐姐的信。看完后，立刻召集仆人，带着丈夫，上马出发，连两个送信人，也一并带走，全部逃到葛罗斯特爵士家避难去了。

他们来到了葛罗斯特爵士的城堡。

里甘对爵士说：“今天傍晚的时候，我接到姐姐的一封信，姐姐警告我，要是我父亲李尔王，想要住到我的宫廷里来，我最好的办法是不在

家中，并且深锁大门，不让他们踏进我的家门！”……

里甘就这样逃离他的父亲。然后，把父亲派来的信差，用绳子捆绑双脚后，丢在葛罗斯特爵士的城堡前。

所以当李尔王带着他的仆役与侍卫到达二女儿家门前时，大门深锁，连个传话的人都没有。李尔王无处落脚，也来到了葛罗斯特的城堡。到达城堡前，他看到他的信差双脚被缚，倒在地上。

信差（肯特爵士）告诉李尔王所发生的事。

李尔王生气地说：“他们竟敢如此对待国王的臣仆！他们不能，并且也不该这样做，那简直比谋杀还严重。”

国王驾到，葛罗斯特爵士请李尔王进了城堡。

李尔王进了城堡后，以为爱他的女儿女婿会来迎接他。可是……没有，没有一个亲人来迎接他。他对城堡的主人葛罗斯特说：“父亲要对女儿（里甘）说话，命令她出来见我！”

不得已，女儿里甘出来了。

里：啊！父亲，你的年纪大了，你应该让一个比你自己更聪明、更有地位的人，来告诉你该怎么做！所以我要劝劝你，还是回到大姐那里去，给她赔个不是！

王：好女儿，我承认我年纪大了，不中用了，让我跪在地上，（跪下来）请求你赏给我衣服穿，一张睡觉的床，和一些可以吃的东西。

里：父亲，别多说了，这多难看，简直是胡闹！回到大姐那里去吧！

王：再也不回去了！

李尔王绝不再回大女儿家，二女儿也不留他。无处可去，李尔王只得带着肯特爵士和他的人，流落到荒郊野外。

荒野在暴风雨和雷电交加中……

一个国王，受到这种打击，多么难忍。李尔王说："吹吧，风！吹破了你的腮！雨！飞瀑龙卷般的雨，淹没大地！雷！让硫磺般的电火，烧焦我的白头吧！风啊！雨啊！雷啊！把那忘恩负义的人，全泼翻了吧！"

李尔王在极度伤感中，肯特爵士发现荒野中有间草棚，可以让他们躲避暴风雨。

草棚下，还有一个隐姓埋名、装疯作傻的孝子。这个人就是被父亲葛罗斯特赶出家门的儿子埃德加。

埃德加是李尔王的义子。

由这层来看，李尔王与葛罗斯特爵士，名为君臣，实为亲家，两家的关系是相当好的。所以当里甘想逃家的时候，就到葛罗斯特家去。当李尔王在二女儿里甘家扑了个空时，也到葛罗斯特家中去避难。另外还有个重要关系，那就是，李尔王的这两个女儿，同时爱上葛罗斯特的私生子埃德蒙。

现在，李尔王和埃德加这对义父义子，都成了无家可归的落难人。两个落难人，在狂风暴雨中，在荒野中的一间小草棚中，见面了……

埃德加仍旧隐瞒身分，他称自己是"可怜的汤姆"。

埃德加是装疯卖傻，李尔王是真的被女儿气疯了……

两个疯子，互不认识，却相互怜悯。李尔王深受打击后，非常后悔把他全部的权利与国土给了他的两个女儿，他希望这个年轻疯子将来不要做这种疯事。

这个时候，在葛罗斯特堡发生了父子间的矛盾。

原来葛罗斯特爵士得到密报，李尔王的第三个女儿，已经知道父亲无处栖身的情形，恳请她的丈夫，救救李尔王。她的丈夫派了一支军队，正悄悄地从法国赶来救援她的父亲。葛罗斯特爵士说，他要去找李尔

王，把消息告诉他。然后，他对他的私生子埃德蒙说：

“你去陪他们谈谈话，免得他们发现我的行踪。如果他们问起，就说我身体不适，已经睡下了。”

“他们”指的是住进他家的客人：李尔王的二女儿和女婿。

儿子：父亲，你非这样做不可吗？

爵士：李尔王是我的老主人，我不能坐视不救。

儿子：父亲，你把那封重要的信放在哪里呢？

爵士：我把信锁在我的书房中。

葛罗斯特爵士说完，就去找李尔王这群人。

爵士最疼爱的儿子，却在这时候，心生一念，想到了一个恶毒的坏主意“卖父求荣”，他要把父亲寻找李尔王的事告诉里甘，他说：“这也正是我邀功请赏的好机会：老一代的没落了，年轻的一代才会兴起！”

葛罗斯特走了好多路，问了好多人，终于在荒野的小草棚里找到李尔王。他告诉李尔王，要他们到多佛去，因为李尔王的小女儿和法国军队在多佛驻扎。葛罗斯特完成任务，匆匆赶回他的城堡时，他的儿子已经把这个秘密告诉了里甘和他的丈夫康华尔公爵。

他们一见到匆匆回来的葛罗斯特爵士，里甘生气地说：

“忘恩负义的狐狸，把他绑起来！”

爵士更气了，他说：

“你们在我家中，你们是我的客人，客人可以这样对待主人的吗？”

结果，诸位猜猜看，他们是怎么对待这位好心的城堡主人的？你一定猜不着，他们居然把葛罗斯特爵士的一双眼球挖了出来。

爵士痛得大叫：“我的儿子埃德蒙呢，儿子啊！替我报仇啊！”

李尔王的女儿里甘告诉瞎了眼的爵士说：

“你叫唤你的儿子，其实他才是最恨你的人。就是他，把你秘藏的信交给我们的！”

到了这个时候，爵士才知道他被蒙骗了，爵士痛苦地说：“哦！我真蠢啊！我误会了埃德加。”

瞎了眼的爵士，被他的客人赶出了他自己的城堡。所幸，他府里的一个仆人看到主人葛罗斯特双目流血，用麻布和蛋白替他贴在流血的眼睛上。双目失明的葛罗斯特，一个人颠颠簸簸地走了。

葛罗斯特的一个佃户，在路上看到他双眼蒙上麻布，问他说：“主人，你怎么啦？”

“我认人不清，我的眼睛早已瞎了！”

爵士的话，佃户也听不懂。佃户再问：

“主人，你要去那里？”

“多佛！”

这个好心的佃户，陪着爵士走向多佛。半途上，遇到了埃德加，埃德加仍以疯子汤姆的身份，细心体贴地陪老爸走到多佛，和李尔王等会合了。

两人见了面，一个被女儿气成了疯子；一个被私生子害成了瞎子……

令人安慰的是：李尔王的小女儿，仍然是爱父亲的，正赶着来救他。而爵士，虽然瞎了双眼，但有一个爱他的儿子在身边默默地陪着他。

两个历尽沧桑的老人，在风雨中等待……

不久，小女儿派来的侍臣找到他们。

李尔王一行就跟着侍臣走向多佛，到法国军营处，与小女儿见面。

在走向多佛的路上，他们遇到大女儿的管家。

管家看到李尔王和葛罗斯特爵士这群要犯，立刻口出狂言，骂他们是老奸贼，然后拔出剑来，准备杀死他们。

埃德加上前阻止，两人打了起来。埃德加一剑，击倒了管家。

管家临死前，把一封信交给埃德加，请他转给埃德蒙老爷。

“埃德蒙老爷在哪里？”

“他在英国的军队里，他们准备对付法国来的三小姐。”

管家交给埃德加的信，是李尔王的大女儿戈纳瑞写给埃德蒙的情书。情书上写着：……不要忘记我们俩的誓约。你有许多机会可以除掉我的丈夫。要是他得胜归来，那就什么都完了……他的床就是我的牢狱。你亲爱的仆人（但愿我能换上妻子两个字）戈纳瑞……

这个管家在这个时候出现，又在这个时刻死亡，又怀有这封关键的信，这部戏才能继续下去。

埃德加决定把信亲手交给戈纳瑞的丈夫。

大女儿戈纳瑞的丈夫是英军对抗法军的主将。

二女儿里甘的丈夫，在挖爵士的眼珠时，被爵士的仆人刺死。死了丈夫的里甘，就把丈夫的军权交给埃德蒙。然后，为了对抗小妹的法国军队，里甘和埃德蒙来到大姐戈纳瑞处，寻求合作，共同对抗小妹的法国军队。

但是，英法两军尚未开战，姐妹俩已经为了爱情剑拔弩张，面对面谈判。

二姐说：我的丈夫已经死了，埃德蒙和我已经谈妥，他和我结婚比和你结婚更合适些！

大姐说：我宁愿这次战争失败，也要和埃德蒙在一起。

姐妹俩都表明态度，要嫁给埃德蒙。

前面那封关键性的情书，在这关键时刻发生了作用。

埃德加把情书交给了戈纳瑞的丈夫奥本尼公爵。

埃德加说:“如果公爵看过了信,并确定情书是真的,请你命人吹起号角,让我和埃德蒙比赛决斗。”

公爵问了埃德加的身世,才知道埃德加和埃德蒙是同父异母的兄弟,而且埃德加精于剑术。

埃德加离开后,奥本尼公爵看了情书,他真的不敢相信,自己的老婆是这种人……

正在这个时候,埃德蒙来了,他是来报告好消息的。好消息就是他带领的英军胜利了,而且已经把李尔王和他的小女儿逮捕,并关进监狱,命专人看守。

写情书的戈纳瑞,听说爱人埃德蒙来了,赶快过来看他。

奥本尼公爵把情书交给太太戈纳瑞。戈纳瑞和埃德蒙承认他们的恋情。

奥本尼公爵决心采取行动,除掉埃德蒙。

公爵命人吹起号角。

听到号角声,埃德加知道奥本尼公爵相信他了。于是穿起甲胄,手持利剑上场。

奥本尼公爵:埃德加,你要找谁决斗,谁是你的敌手?

埃德加:自称是埃德蒙·葛罗斯特的。

埃德蒙:我在此,你对我有什么话说。

埃德加:拔出你的剑来……

(兄弟两人决斗,埃德蒙受伤倒地。)

埃德蒙:……你是什么人,能打赢我!

埃德加:让我们宽恕吧!……我是你父亲的儿子,我的名字是埃德加。

天神是公正的，父亲在黑暗邪恶的地方，种下你的生命，结果，你使父亲丧失了眼。

埃德加的这番话，说得太好了：把黑暗邪恶种下的因，与丧失眼睛结成的果，连贯在一起，促成了悲剧的发生。

**奥本尼公爵**：埃德加，你把自己藏在什么地方，你怎么知道你父亲的灾难？

**埃德加**：因为我就在他身边照顾他。我为了逃避追捕，披上褴褛的外衣。我遇到父亲，他的两个眼眶流着鲜血……我做他的拐杖，领着他，为他乞讨，把他从绝望中救出来。我把我的全部历程告诉了他，他太脆弱，承受不了过多悲伤和忽然降临的喜悦，半个小时前，他含笑离开了人世。

**埃德蒙**：你的这番话，真令我感动……

这时候，一个侍臣冲来，大喊“救命！救命！”

什么事情要喊救命！原来姐妹俩为了埃德蒙，从人前吵到人后。最后，姐姐毒死了妹妹，再拔刀自尽。

姐妹俩同归于尽——这样的结局，到底是不正常的爱情害了她们，还是老天爷因她们的不孝赐给她们的惩罚？

埃德蒙看到这个悲惨的结局，忽然心中涌起一股善念，他说：“我跟她们两人都有婚约，现在我们三人可以在一块儿做夫妇啦！不过，在我死前，赶快差人到城堡里去，因为我已经下令把李尔王和他的小女儿处死，不要耽误时间，快！”

已经太迟了，小女儿科迪利娅在狱中被缢死。

小女儿的死，让李尔王疯狂了……

李：这根羽毛在动，她没有死！要是她还有活命，那么我的哀愁还有补救，我生命还有希望！

（忽然）

李：啊，你看见吗，瞧瞧她，瞧，她的嘴唇，那边，那边！（倒下死）

（剧终）

莎士比亚的《李尔王》，被认为是最完美的剧戏范本。这个剧本之所以伟大，一方面是题材，这种父母子女间的题材是永久性的、普遍性的。家庭间的伦常关系，不论是孝顺或是忤逆，都是最拨动人心的题材。这个题材之所以伟大，因为它描写的是基本人性。

其次，它的表现手法相当突出。李尔王和他的三个女儿是主线，但是故事性比较平凡，莎士比亚以葛罗斯特的遭遇作陪衬，如此，加重了戏剧的效果，增加了剧情的张力，更加深了主题的发挥。

但是，一般研究者认为，这部剧虽然伟大，仍有不完美处：如葛罗斯特当场被挖眼球，实在太残酷了。此外，剧中人物太多，结尾处过于草率……反正，各人有各人的看法，尤其是一部伟大的作品，看的人多，批评的也多。

莎士比亚的另一悲剧《奥瑟罗》，亦是种族的、夫妻的、人性的……

## 《奥瑟罗》

本剧有四个重要角色：

奥瑟罗，奥瑟罗是塞浦路斯的总督兼将军。他是摩尔人。摩尔人有厚厚的嘴唇、红棕色的皮肤。对英国人来说，只要不是白皮肤，就是异族。

他的部下有种族歧视，背着他时，都称奥瑟罗是条“老黑羊”或“黑将军”。奥瑟罗虽贵为总督，但是对自己的外表和异族身份也产生自卑。

再说，奥瑟罗虽是个堂堂正正、英武挺拔、战绩辉煌的将军，但是在恋爱上，他是深情又不理智的人，他是一个不容易发生嫉妒，可是一旦被人煽动后，就会感到极度烦恼而失去理性，甚至可以牺牲生命的人。他是本剧的主角。

苔丝狄蒙娜，是奥瑟罗的妻子。

苔丝狄蒙娜原是威尼斯元老的女儿，是个标准的白种女人，他们的结合，也是因为元老很看重奥瑟罗，经常请他到家里谈历史，或是谈奥瑟罗经历过的各种战役。奥瑟罗就把他一生的经历，从童年说起，慢慢地告诉元老。每当这个时候，元老的女儿总是在旁静静地听。久而久之，对奥瑟罗产生了敬佩与爱意，两个人就偷偷地结了婚。

正因为深爱奥瑟罗，所以当奥瑟罗率领军队到塞浦路斯时，苔丝狄蒙娜也陪着丈夫，从威尼斯迁到塞浦路斯的总督府。

伊阿古，是奥瑟罗最信任的人。

凯西奥，奥瑟罗的副将，是个风度翩翩、英俊白皙的美男子。

爱米利娅，伊阿古的太太，一个好心又正直的女人。她随丈夫到塞浦路斯，与主帅的夫人苔丝狄蒙娜作伴。

故事发生的地点：营区、总督府

故事发生的时间：土耳其进攻塞浦路斯期间

故事主题：“恨与嫉妒”纠缠的悲剧

本戏开始：

心怀恨意的人，是伊阿古。他恨两个人：一个是奥瑟罗，一个是凯西奥。

他恨奥瑟罗的原因是：奥瑟罗接到元老院命令，带领军队驻防到塞浦路斯时，缺少一位副将。这个职务，伊阿古觊觎已久，而且还找了三位重要人物推荐他，奥瑟罗不为所动，却任命凯西奥为副将。这件事，让伊阿古怀恨在心。

伊阿古恨凯西奥的原因，除了凯西奥占了那个副将的位置外，还因为凯西奥是个风度翩翩、英俊潇洒的美男子。伊阿古站在他身边，就莫名其妙地产生自卑感。

伊阿古恨凯西奥，决定要把凯西奥除掉。除掉他的方法，第一步是让奥瑟罗不喜欢他。伊阿古先找来一个笨笨的乡绅罗德利哥，然后设计罗德利哥约凯西奥去喝酒。在喝得酩酊大醉时，借故大吵，几乎动手打架甚至斗剑，这个场面一定要让奥瑟罗看到。

果然，一切都照伊阿古的计划发生了。

奥：怎么，怎么，为什么闹起来的？正直的伊阿古，瞧你神情，莫不是隐瞒什么。老实告诉我，到底怎么一回事？

伊：刚才还是好朋友，喝酒下肚后，就迷失了他们的本性，大家拔出剑来，拼个你死我活。

奥：凯西奥，你怎么会忘记你的身份呢？

凯：原谅我，我无话可说。

……

奥：伊阿古，我相信事情不像你所说的，只因为喝多了酒而拔剑互斗。

但是我知道你一向是个忠实和义气的人，所以才把这件事轻描淡写，以便替凯西奥减轻罪刑。凯西奥，你是我的副将，可是却喝酒闹事，坏了军纪，从今以后，你不再是我的部属了。

就这么简简单单地完成了伊阿古的第一步。

下一步，就要用美人计。

在总督府内，只有两个美人，奥瑟罗夫人和伊阿古太太。美人是奥瑟罗夫人，伊阿古太太是助手。

人物选定后，开始进行第二步。

他找到被降职的凯西奥，好心地告诉他。

伊：告诉你一个方法，我们主帅夫人心地善良，而且主帅很听她的意见。所以啊，你只要在她面前忏悔，恳求她，她一定会帮助你恢复官职的。

凯：这是个好主意，明天我就去请她替我说情。

这还不够，伊阿古又去请他太太去说服苔丝狄蒙娜，请主帅夫人在她丈夫奥瑟罗面前为凯西奥求个情。

爱米利娅的工作是照顾奥瑟罗太太，慢慢地，两个女人成了亲密的好友。爱米利娅听从丈夫的话，劝主帅夫人帮凯西奥求情。奥瑟罗太太答应了。

爱米利娅达成任务，将这好消息告诉副将凯西奥。

爱：副将，将军和她夫人正在谈论此事，夫人竭力替你辩白。

凯：我想请求你一件事，请你安排让我单独和苔丝狄蒙娜见上一面，跟

她做一次简短的谈话。

爱：请你进来吧，我可以带你去见她。

凯西奥和奥瑟罗夫人见面的时候，被奥瑟罗看到了。再经由伊阿古的加油添醋，奥瑟罗怀疑他的妻子与凯西奥有染。嫉妒心让他痛苦。

奥：现在，我亲眼看到了她和凯西奥的暧昧，啊！从今以后，宁静的心情，永别了！平和的幸福，永别了！奥瑟罗的事业，永别了！

虽然有了嫉妒心，但是没有确实的证据，只凭说个话，就认定他俩之间有什么暧昧，也太轻信了。奥瑟罗想看到证据。

奥：我想我的妻子是贞洁的，可是还是有些怀疑。伊阿古，我一向信任你，你能给我一个充分的证据，证明她已经失节吗？

伊：主帅，你有没有看过尊夫人有一条绣着草莓花样的手帕？

奥：草莓花样的手帕？那是我第一次送给她的礼物。

伊：可是，今天我看见凯西奥用这样的手帕在抹他的胡子，它不可能是尊夫人的吧……

怎么不可能呢？这种手帕也不是人人都有的。但是如果她真的送凯西奥那条手帕，那就是最明确的证明，证明她失节，证明她不贞！不贞和失节的代价就是死！

奥瑟罗气急败坏地回到家里。

一见到妻子，奥瑟罗问：我给你的那条手帕呢？

苔：我没带在身边。

奥：没有带？

苔：真的没有带，我的主。

奥：那真可惜，那条手帕是一个埃及女人送给我母亲的，她对我母亲说，只要她保有那条手帕，就能得到我父亲的欢心。如果失了它，或是送给别人，他们的爱情就会起风波。我母亲在她临死的时候，把那手帕交给我，要我交给我的妻子。我遵照她的话，把手帕送给你，你应该珍惜，现在你失了它，难免会发生什么祸事。

苔：真的会有这种事吗？

不论真假，奥瑟罗的妻子丢了手帕，而伊阿古却看见凯西奥用那条手帕抹他的胡子。

犹疑了几天，奥瑟罗终于克制不了他的妒火。

他要采取行动了。

回到总督府的家里，太太苔丝狄蒙娜睡在床上，奥瑟罗吻了她……

奥：再一个吻，再一个吻。愿你到死都这样安详：我要杀死你……

苔：你说什么，杀我！

奥：嗯。你今晚有没有祈祷过？

苔：祈祷过了，我的主。

奥：想想看，你一生中，有没有犯了什么罪恶，不曾得到上帝宽恕的，赶快恳求他的赦免。

苔：我的主，你这话是什么意思？

奥：祈祷吧，我不愿杀害一个没有准备好的灵魂。

苔：你说杀人！

奥瑟罗用双手扼着太太的颈子……

这个时候，伊阿古的太太爱米利娅进来。

爱：将军！将军！

奥：（低头看着妻子）她死了，她死了。

奥瑟罗告诉爱米利娅有关手帕的事。

爱：你这个笨人，你所说的手帕，是我偶然在花园里拾到，我把它交给了我的丈夫。虽然那只是一件小东西，我的丈夫却三番两次地要我把它偷来。所以，我捡到后，就交给伊阿古了。摩尔人，她是贞洁的；她爱你，爱你这个狠心的摩尔人！

奥瑟罗听完，走到妻子的尸体边，大错已经铸成，后悔已经太迟。奥瑟罗抽出藏在衣服里的剑，以剑自刺，倒在太太苔丝狄蒙娜的身上，死了……

（剧终）

《奥瑟罗》是莎士比亚剧集中结构最完整的，剧情的进展非常快速，一步步进入悲惨的结局。

此剧之所以悲壮，是因为“嫉妒”本身是可耻的。

一个勇敢的将军，因妒而杀，杀的又是他最爱、最温柔的妻子，这比任何谋杀都要悲惨。其次，奥瑟罗的妻子，消极忍受，也是一种令人不舍的痛苦。尤其，这种家庭变故，最能牵动人心、令人伤感。观看此剧，伊阿古的毒计均能得逞，似乎命运也在帮助恶人。这是莎士比亚在此一悲剧中，给人最深刻的印象。

以艺术来讲，《奥瑟罗》是莎士比亚悲剧中结构最完美的剧本，且剧情紧凑，富戏剧张力。[1]动人的题材、动人的文字，让莎士比亚的四大悲剧，成为不朽的经典之作。

## 庄园

威廉·莎士比亚的四大悲剧推出后，他在伦敦的声誉日隆，寰球剧院日日客满，财源滚滚而来。

莎士比亚在伦敦赚的钱，都寄回老家斯特拉特福。这时，他的父亲已过世，可能是由他母亲或老婆作主，以320镑高额，买了斯特拉特福最大的一个庄园，光是土地就有107英亩之大。

## 黑僧剧院

1609年，伯比奇父子又买了伦敦城内黑僧隐修院的旧址。

这个黑僧隐修院，原是伊丽莎白女王专属的小教堂。在戏剧开始盛行的时候，因演出的剧场不多，演员也不够，女王就把她专属的小教堂改为剧院，而把原本在教堂内唱诗班的男童，教导他们演剧，组成"唱诗班男童剧团"，这间教堂专供"唱诗班男童剧团"演出。当时本·琼森等编剧人才，都为这些小朋友写剧本，演出的都是与时事有关的讽刺剧或闹剧，也曾风光一时。

后来，经莎士比亚等人发起，认为让唱诗班的小男童来演剧，是不

1 梁实秋先生指出《奥瑟罗》的特点：剧情进展得很快，但是"冲突"发生得很迟，逐步演进，让观众和主角的心情，相互纠缠，共同走进悲惨的结局。

人道的，因为这会扼杀他们的前途，小男童剧团才慢慢退出。黑僧剧院空了出来。

伯比奇父子看上黑僧剧院，是因为寰球剧院在泰晤士河畔，地近沼泽、冬季阴湿，每年能演出的时间，只在5月到11月，其余的时间，即使演出正常，也是阴冷。就为了每年12月到来年4月的演出期，伯比奇父子买下黑僧剧院，当然莎士比亚仍是剧院的大股东。这个剧院因为有莎士比亚和伯比奇父子，詹姆斯国王把它改成为“莎士比亚和该团主要剧作家和演员”的剧院，主要在冬季使用。

有国王的赏识、有专属的剧院，莎士比亚还是累了。他要离开伦敦，回到老家斯特拉特福的新坊大房子，去享受他的余年。就在这一年，1609年，莎士比亚离开了伦敦，重返斯特拉特福，结束了他的伦敦时期。

# 第三章 重返家乡

从1609到1616年这最后七年，莎士比亚与剧场间的联系越来越疏离，甚至在1611年到1612年，他回到斯特拉特福的老家休养，几乎放弃了剧本的创作。恶毒的评论者说他是江郎才尽，挤不出东西了；另一派的评论者说，他在家乡过得太舒适，把他为剧场提供的编剧工作，也交由他的朋友替他完成。

实际的情况是，即使莎士比亚江郎才尽，即使莎士比亚因舒适而变得不想工作，他还是完成了三部剧本，其中一部历史剧：《亨利八世》。

## 《亨利八世》

亨利八世[1]是英国历史上很具争议性的国王，最具争议性的话题是他的婚姻。

1 亨利八世时，西班牙是当时海上的霸主，独掌海上的军事与贸易，是当时欧洲举足轻重的国家。

他的第一任妻子，是西班牙凯瑟琳公主。

亨利八世的父亲亨利七世，为了和西班牙联盟，让他的大儿子去娶西班牙公主凯瑟琳。亨利七世有两个儿子，大儿子阿瑟和凯瑟琳成婚后不久，因故而亡。凯瑟琳顿成寡妇，这位新寡的公主，正为要回西班牙还是继续留在英国而烦恼。

亨利七世不愿意因为大儿子的过世，英国和西班牙结的姻亲，就此结束。为了和西班牙保持长久的亲戚关系，经过教宗特许，令二儿子娶凯瑟琳为妻。亨利七世的二儿子，就是以后的亨利八世。

亨利八世和凯瑟琳成婚后，凯瑟琳虽生子女六人，但除女儿玛丽外，其余均不幸夭折。

亨利八世思子心切，极希望有子继承，就与年轻貌美的宫女安·波琳热恋。有了新欢后，亨利八世决心与凯瑟琳离婚。1527年，他向英国教宗提出的离婚案，等于是给教宗一个难题，因为凯瑟琳的侄子——查理五世，正是当时欧洲最有势力的神圣罗马帝国的皇帝。教宗害怕得罪神圣罗马帝国的皇帝，英国教会只得采取拖延战术。

这拖延战术引起亨利八世的不满。

1531年，罗马教宗到英国访问，英国教会热心接待。亨利八世就以这件事为借口，认为英国教会未曾得到国王允准，花费国库大把的钞票，擅自接待罗马教宗。亨利八世开出两个条件：一是教会必须缴纳巨额的罚金，二是教会必须承认英国国王才是教会的首领。

教会付不出巨额的罚金，只得承认亨利八世是教会的首领。

1534年，国会通过“君权至尊法案”，认定国王是“英国教会唯一的最高领袖”[1]。

1　亨利八世援用此法案，取消修道院、简化崇拜的仪式、清除偶像等，此等改变，成为英国国教的起源。

“君权至尊”与“教会的最高领袖”双重权威下，英国国君是政教合一的至尊。至尊者，想做什么就做什么，谁也管不了。亨利八世就任命他的好朋友克兰默为大主教。在大主教的同意下，亨利八世顺利地和凯瑟琳离婚，再娶安·波琳为皇后。

亨利八世期望新皇后为他生个儿子，以继承皇位，可惜，安·波琳生的不是男孩，又是一个女孩。亨利八世又不耐烦了，又要另娶她人。

1536年，借着宫廷的阴谋事件，安·波琳在伦敦塔被处决。有一部电影《安妮的一千日》就是讲她的故事。安·波琳被绑到伦敦塔斩首时，她看看四周的情景，幽幽地说：“三年前，我就是在这里被封为王后的！”

安·波琳被处决后，克兰默安排亨利八世娶珍·西摩（Jane Seymour），这个西摩终于为国王生下他渴望已久的儿子[1]。

1547年，亨利八世过世后，继承其王位的是他尚未成年的儿子爱德华六世。

爱德华六世在位六年后，凯瑟琳王后的女儿即位，是玛丽女王。

玛丽女王心怀旧恨，想到母亲凯瑟琳王后的委屈，就把主教克兰默判火刑受虐而亡，连带有三四百名教士受到火刑。玛丽的残暴，被后人称之为“血腥玛丽”。

玛丽之后，继其位的就是伊丽莎白女王[2]。

莎士比亚写女王的父亲和母亲，不论写得真实或戏剧化，笔触的轻重之间，总是引人非议。莎士比亚在这个剧中，着重两点：政治上，是亨利八世与红衣主教乌尔西两者间权势的拉锯战，其中白金汉爵士是受害者；在婚姻上，是亨利八世与凯瑟琳王后的离婚，以及他和安·波琳的相

1 亨利八世的三位王后：西班牙公主凯瑟琳留下一女：玛丽女王。宫女安·波琳也留下一女：伊丽莎白女王。珍·西摩留下一子：爱德华六世。

2 伊丽莎白主政时期，莎士比亚出生、成名。

识、相爱、结婚到安·波琳生下女儿为止。

## 寰球剧院付之一炬

亨利八世的剧本完成后，1613年，他再回伦敦，等着他的《亨利八世》在伦敦演出。

在这段排演时间，莎士比亚就在“黑僧剧院”的附近，为自己买了一栋房屋。

《亨利八世》于1613年6月29日在寰球剧院演出，戏刚开始，才进行到第一幕第四景时，因放炮不慎，火星落到舞台的茅草屋顶上，引发了熊熊烈焰，寰球剧院付之一炬。

莎士比亚的许多资料，也随着大火，成了灰烬。

不知道是不是受了这个打击，莎士比亚把他在“黑僧剧院”旁的房子，租了出去，自己再回斯特拉特福的家。在这里，莎士比亚并未停笔，他又写了两个剧本：《冬天的故事》和《暴风雨》。

## 《冬天的故事》

这个故事的原来版本是罗伯特·格林（Robert Greene）[1]写的一部长篇故事。格林死后二十年，莎士比亚把格林的这部长篇改编成剧本，让格林的名字与莎士比亚的作品，永远流传。

1 这个格林在莎士比亚初到伦敦时，曾讽刺莎士比亚是一只靠着他人成就而成名的乌鸦。

《冬天的故事》是英文里的一个比喻，比喻为“打发时间”的意思。因为冬天天冷夜又长，在漫漫的长夜里，要讲些无聊的陈年老话来杀时间。可是在剧中，莎士比亚借用孩子的口，给冬天下了个定义：“冬天最适于讲悲哀的故事。”

冬天的故事有悲哀，也有阴谋，还有悬疑……

故事发生的地点有两个：一个是西西里，另一个是波希米亚。

故事的主角有：西西里国王列昂、波希米亚国王波力。他们两个是童年好友。

故事从他们两个开始。波力到西西里去拜访国王列昂，列昂盛情招待。

几天之后，波力以国家要务为借口，准备回波希米亚。列昂舍不得他离开，尽力挽留，甚至请出他的王后赫美温妮帮忙。

赫美温妮为了替丈夫挽留他的好朋友，热情招待。这份热情竟让她丈夫产生了嫉妒，甚至产生怀疑……

所以当赫美温妮和波力肩并肩地走在花园里说着话儿的时刻，嫉妒的丈夫列昂，认为妻子和波力一定发生了不可告人的暧昧关系。嫉妒占满了列昂的心，他决定除掉他的童年好友波力。于是，他派他的大臣卡密罗去毒死他。

这个任务让卡密罗进退两难，因为他知道国王是误会了王后赫美温妮。如果他毒死了波希米亚的国王，不但会引起两国之间的动乱，还会让原本疑惑的事成了事实。他再三思索，决定把他的任务老老实实地告诉波希米亚国王。两人商议，当天夜里，一起逃离西西里，安全地回到波希米亚。

列昂得到消息，知道两人私逃的事，气得大发雷霆，下令把他的妻子关入冷宫。他的妻子赫美温妮这时候已怀有身孕，列昂大声辱骂，说她怀的孩子是波力撒的野种。

一向贞洁的王后受到这样的待遇，群臣不服，都为她说话。国王为了平息众怒，派两个可靠的大臣到阿波罗圣殿去，要求神谕。

不久，被贬在冷宫的王后，生了一个女孩。当王后的好友宝琳娜抱着婴儿去见国王时，国王仍然以野种视之，要把婴儿当场处死。后经宝琳娜的力争，由宝琳娜的丈夫安提把这个婴儿丢到荒郊野外，任其自生自灭。

母后被关、小公主被丢、年幼的王子也不知什么原因忽然死了。王后在重重的打击下，一命呜呼！

派去阿波罗圣殿的大臣，带着阿波罗的圣谕回来了。

神谕上明明白白地说出："王后赫美温妮是无辜的，波西米亚的国王波力也是有德的君子，卡密罗是忠诚不二的大臣，唯有西西里国王列昂是个多疑的无道暴君；无罪的婴儿是他亲生骨肉，倘如丢弃的孩儿不能寻获，国王将永无后嗣。"

粗暴的国王后悔了，但是死的死，丢的丢，悔之晚矣！

西西里的事暂且在此停住，再去看看女婴的下落。

安提抱着婴儿，不知道怎么处理，正在难以决定的时候，当晚，他做了一个梦，梦见王后赫美温妮来到他家，愁容满面地对他肯求，希望把婴儿丢到遥远的波希米亚，而且为女婴取名为帕笛塔。

梦醒之后，在刮着大风的夜晚，安提抱着婴儿来到海边，找了一条船，坐着船来到波希米亚。

安提把船停在波西米亚的边境，爬到一片草原上，把婴儿放下，写好一张纸条，放进随身带来的包裹里。这个包裹里有王后的罩衫和一条项链，以及一些金子。安提对小婴儿说："如果运气好的话，这些东西可以供你安身立命。"

这时候，忽然出现一只大熊，安提为了引起大熊的注意，把婴儿放下后，赶快逃开。大熊以安提为目标，追赶安提，安提被熊咬死了。

捡到这个婴儿和包裹的是一个放羊的牧人，他看到漂亮的婴儿，高兴地说，这是上天送他的礼物！

老牧人和他的儿子因为有了金子，变得富有，婴儿在他们的照顾下，慢慢长大，变成漂亮的帕笛塔。

十六年过去了……

帕笛塔是波希米亚最漂亮的姑娘。

漂亮的姑娘有了爱人，这个爱人就是波西米亚国王波力的儿子。

有一天，波力国王对卡密罗说，为什么最近王子都不在皇宫里，他到哪里去啦？

"怎么知道呢，不如……我们悄悄地跟踪他。"卡密罗说。

"好主意！"国王同意。

有一天，他们发现王子穿起猎装，要准备出去。

"去哪里啊？"国王问。

"到草原上去打猎。"

"跟去吧！"卡密罗低声地说。

君臣两人立刻乔装打扮，悄悄地跟踪王子，找出真相。

王子来到一个牧羊人家里。牧羊人家里有好多宾客，原来是牧羊人的女儿要和王子举行结婚喜庆。牧羊人看到两位陌生客，请他们俩作证婚人。

国王对儿子说："你是这场婚礼的主人，你的父亲在哪里呢？"

因为国王是乔装而来，脸上多了胡须，父子见面，儿子也认不得父亲。所以王子很坦然地对这位陌生人说："一定不能让父亲知道！"

国王一生气，大声地骂帕笛塔："你知道他是谁吗？他是王子！你，一个牧羊人的女儿，能嫁给王子吗？你只配嫁给养猪人！”

帕笛塔说：“同样的太阳照着皇宫，也照着我家的草屋，日光是一视同仁的。”回头又对王子说：“殿下，我们再见了，请留着你自己尊贵的地位吧！现在我的梦已醒，让我挤我的羊乳，过我的一生吧！”

老牧人在这种情况下，不知所措，只是对陌生人卡密罗说：“其实她不是我的女儿……”

卡密罗静静地看着帕笛塔，总觉得她的脸很像赫美温妮王后，可是王后的女儿不是被安提抱走了吗！安提又不知下落，到底这个牧羊人的女儿是谁呢？

后来想想，不管她是谁，这么好的姑娘，一定要助她一臂之力。卡密罗的心里有个计划。

卡密罗悄悄地告诉王子，叫他带着帕笛塔到西西里去，只要对西西里的国王说，帕笛塔是一位公主。卡密罗还告诉他俩，他的财产都在西西里，如有需要的东西，找到他家，他家里的人会照顾他们的。卡密罗本人暂时不能陪他们同去，他要陪着王子的父亲，消消国王的怒气，等时机到了，他们会在西西里见面。

一对年轻爱人决定听从卡密罗的计划，乘船逃到西西里。

至于卡密罗自己，他把王子和牧羊女逃到西西里的消息告诉波力国王，然后劝国王也到西西里找王子。卡密罗的这个计划，是想趁这个时候，看一看他久别的家园。

国王答应，卡密罗就陪着国王追到西西里。

就在这个节骨眼上，莎士比亚安排了一个小偷。小偷就要有一副好耳朵、一对快眼、一双妙手，而且还要有一个好鼻子，可以嗅出些好机会。

他的好鼻好眼，让他有机会听到老牧羊人对卡密罗说：“其实她不

是我的女儿。”也看到年轻恋人和卡密罗三个人要逃去西西里的计划。这个小偷好像在看戏，只是戏才开始，他还要再看下去。

他偷偷地溜到老牧羊人的家里，正巧偷听到老牧羊人和他儿子的对话。原来这对父子正拿着一个包裹，准备去皇宫，告诉波力国王，女儿帕笛塔是他们捡来的，除了金子少了一些外，包裹里的秘密可以证明。

小偷听到后，立刻假装他就是波力国王的大臣，他可以把东西交给国王。牧羊人相信了他，把包裹交给这个小偷。

小偷说，他平时专做坏事，偶尔也该做件好事。

可是当小偷到宫廷的时候，波力国王和卡密罗正在商量到西西里去的事。小偷也跟着他们到了西西里。所有的人在西西里皇宫见面了。

西西里国王列昂看到好友的儿子来了，还带来如此美丽的新妇，问他：“她是一位公主吗？”王子回答说：“假如她嫁给我，她就是一位国王的女儿了！”多好的回答啊！

这个时候，从阿波罗神殿传来了神谕。神谕说：“被丢弃的公主找到了！”

波西米亚国王和卡密罗进了皇宫。

小偷呈上了他的包裹。

一切是这么圆满，只是赫美温妮王后已经死了！对自己愚蠢的怀疑，令国王悔恨交加！

宝琳娜邀请大家到她家去看她为王后做的栩栩如生的一座雕像。

国王列昂说：“她的样子，似乎还在呼吸。”

波力国王说：“她嘴唇上似乎有着温暖的生命。”

帕笛塔戴着王后的项链，披着王后的罩衫：“我愿意站在这里，一直看着母亲。”

一切就绪，宝琳娜启动她的魔术。

宝琳娜："现在，我要实行我的法术。音乐，奏起！"音乐响起……

宝琳娜对雕像说："是时候了，下来吧。不要再做石头人了！"

雕像含着笑，缓缓地走下……

她的丈夫紧紧地抱着她："她是温暖的！"

宝琳娜对帕笛塔说："好姑娘，跪下来，请你母亲开口说话吧，请她给你祝福！"

帕笛塔跪下……

赫美温妮王后："告诉我，我的亲亲，你在哪里遇救的，你怎样生活，怎么会找到你父亲的宫廷？因为宝琳娜告诉我，按照神谕，你或者尚在人间，因此我才偷生到现在，为的是要看到你，我等的……就是这一天。"

西西里国王列昂说："宝琳娜，我永远感激你，你又给了我一个妻子。来！卡密罗，你的德行、正直和智慧，永为世人赞美！王兄，我恳求你原谅我卑劣的怀疑。我的女儿，是你的媳妇，上天为我们的儿女作成了这件喜事。夫人，我的赫美温妮，跟我走吧。宝琳娜，给我们带路，大家要好好庆祝我们的相聚！"

国王列昂发现大家都团圆了，只有聪明的宝琳娜，因为自己的愚蠢，让她失去了丈夫安提。

列昂又看着卡密罗，这位忠臣，为了维护国之安全，长久地远离家园。他，这个好男人，也该有个好女人来照顾他。

国王列昂拉起宝琳娜和卡密罗的手，希望他们俩有个愉快的晚年。

谅解、圆融、大团圆。

（剧终）

《冬天的故事》取材于罗伯特·格林的通俗爱情小说《时间的胜

利》。莎士比亚把罗伯特·格林浮华的言词改为生动活泼的散文和诗篇，包括国王列昂断断续续的悲情，以及年轻恋人情意绵绵的表白。

在这出剧里，评论者提出几点不合理的地方：第一，其动机，就是引起西西里国王嫉妒的动机，不够明确，只凭几句话就气得要毒死他的童年好友，气得断了夫妻的感情，甚至连刚生下的女儿都要把她抛弃，也就是说服力还不够。其次，宝琳娜的丈夫安提把孩子放在波希米亚的草原上时，来了一只大熊，安提被熊吃掉。舞台上出现被熊追跑的场面，实在有些可笑。还有，第二幕与第四幕之间，隔了十六年，时间拉得太长，失去了戏剧张力。除此之外，整出剧里主配角的定位不够明确，不知谁是主角、谁是配角，人物失去连贯性；而结局又来得太突然，以为死去的人，又活生生站在面前（雕像）。评论的结果是：莎士比亚破坏了戏剧的三一律。

莎士比亚的《冬天的故事》，时间上拉长到十六年之久；故事发生的地点，从西西里的皇宫到波西米亚的草原；人物上，应以王后赫美温妮为女主角，可是王后刚一上场，和两位国王说过几句话后，就消失了，直到最后以雕像出现，角色断层。第二女主角宝琳娜，只在抱着婴儿呈给国王时出现过一次，最后一场团圆时才又出现，中间也是断层；另一位女主角帕笛塔，婴儿时出现，再出现时，已是亭亭玉立的美少女。这样的布局，时间太长，剧情的发展没有固定的地点；与事件有关的人物多于一人。所以，批评这出戏的人说，莎士比亚不懂三一律。

但是，评论家忽略了这个剧的题目：《冬天的故事》。天寒地冻的英国，到了冬天，为打发长长的夜晚，大家围坐在火炉前，听老太太讲故事，这类故事，有些严肃但不悲伤，有离奇古怪的遭遇，有变幻无测的情节，还有个圆满的结局。就像在睡梦中，做了一个断断续续的梦。梦醒了，故事匆匆结束。

还有，大家都忽略了这个故事的另一个副题：时间的胜利。对，有很多事情，是需要时间来解决的。读者想想看，这个故事，正因为有十六年的孕育，人物成长后，才有水落石出的一天。时间，在本剧中，默默地扮演时间的重要性。

当评论家仍在指称莎士比亚不懂三一律时，莎士比亚又写出了他最后一个剧本《暴风雨》。

## 《暴风雨》

这个故事的来源是根据当时发生的一则海难事件。一艘渔船在海上失踪，久寻不着，船员生死不明。一个月后，又离奇地从海上归来。这则新闻，在伦敦炒得沸沸扬扬，莎士比亚从这则海难事故得到灵感，又参考1609年“航海冒险号”在百慕达的记录，改编成了这出《暴风雨》。

暴风雨发生的地点：在遥远的孤岛上。

剧中主角：普洛斯帕罗。

普洛斯帕罗原是米兰公爵，因为爱读书，在学问艺术上努力不懈、精益求精，国务政事全由弟弟安东尼奥处理，久而久之，弟弟便有篡位之心。

想要篡位，还须得到强国的支持。公爵的弟弟便和那不勒斯国王密商，甘愿献贡臣服，做他的附属国。那不勒斯国王本来就与米兰公爵不合，当然愿意与其弟合作，也就秘密地接受了他的纳贡称臣。其交换条件，就是把普洛斯帕罗和他的人撵出国境。

他们的计划是先准备一条船，趁着暴风雨的晚上，把公爵和他三岁的女儿押上船，等到船驶出到十几公里以外的海上时，再把他父女俩丢

到一只破旧的小船上，让其在狂风暴雨中，自生自灭。

这个秘密的计划，被公爵的好友兼大臣贡札罗知道了，他就偷偷地为这对被放逐的父女准备了一些衣物、生活必需品，和普洛斯帕罗爱读的书一起让他们带走。

一切按计划而行……

只是普洛斯帕罗和他女儿的船，没有在暴风雨中沉没，他们的船在一个小岛附近安全地停住了。

这个小岛的主人是个女巫。其实她也不算是主人，因为她作恶多端，也是被放逐到这个无人岛上来的。她来的时候，正怀着身孕，带着一个仆人来照顾她。

这个女巫脾气很大，稍不如意，就大发雷霆。有一回，她对仆人不满，一气之下，她借助她强而有力的巫术，把这个仆人变成一只鸟，幽禁在一株有裂缝的松树中。之后，她死了，这个仆人每日在松树中呻吟。十二年后，普洛斯帕罗和她女儿流放到这个岛上，普洛斯帕罗听到她痛苦的呻吟声，用他的法术，把松树劈开，救了这个仆人。这个仆人，为了报恩，愿意为普洛斯帕罗服务。她就是精灵爱丽儿。

爱丽儿无所不能，能上天、能入地，还能在火里钻、山里行，她是岛上精灵的头儿。

这个岛上，还有一个长得奇形怪状的人，这个丑人就是女巫的儿子卡列班。

普洛斯帕罗和他女儿米兰达来到岛上，发现了卡列班。

普洛斯帕罗教他读书认字，告诉他大自然的名词：譬如，白天挂在天上会发亮发光的星球是太阳，晚上的是月亮，会飞的叫鸟，会游的是鱼。卡列班跟普洛斯帕罗学习，也帮普洛斯帕罗做些粗重的活，慢慢地就把岛上的资源告诉他：何处是源泉、盐井，何处是荒野、肥田……卡列班成了普洛斯帕罗唯一的仆人。

这个岛，就只父女两人，加个仆人和一个精灵。普洛斯帕罗虽然离开了米兰，可是，在这个偏远的海岛上，普洛斯帕罗仍是一岛之主，读他喜欢的书，有精灵、有仆人为他服务，还有他最爱的女儿，和他相依为命。

他们静静地住在这里，一住就是十二年，女儿米兰达已经十五岁了，是个漂亮的美人儿；而普洛斯帕罗，成了魔术师。

暴风雨的故事，从这里开始：魔术师普洛斯帕罗利用他的法术，兴起了狂风暴雨……

有一艘船，在这岛外的海面上遇到了这阵奇怪的风浪。

坐在船里的除了船员外，还有五位大人物，他们是：

阿朗索：那不勒斯国王

阿朗索的儿子：王子弗迪

阿朗索的弟弟

篡位的米兰公爵：安东尼奥（普洛斯帕罗的弟弟）

大臣贡札罗

魔术师普洛斯帕罗要让这艘载满贵宾的船只，在风浪中破裂……

普洛斯帕罗有他的计谋，叫精灵爱丽儿来，吩咐她几件工作，如果做得好，就放她自由。

爱丽儿的第一件工作，就是要船上的几位大人物，在经历了惊涛骇浪后，活着来到岛上。

最先上岸的是王子弗迪。

在爱丽儿的指挥下，王子被安排在一处隐蔽的所在。

王子弗迪，进入到一片森林中，他在树丛中左顾右盼，想知道他父

亲、叔叔和米兰公爵的下落。就在这个当儿，忽然看到一个漂亮的女孩。他问女孩说：“你是天上的仙女，还是凡间的美人？”

这个仙女或美人，就是普洛斯帕罗的女儿米兰达。

米兰达也看到王子，两人一见倾心。因为从她懂事以来，她只看过两个人，父亲和奇丑无比的卡列班。米兰达告诉父亲，她从没有看过这样俊美的人。

第二批落难人，也流落到岛上了，爱丽儿安排他们在岛上的另一端，是剧中的第二个场景。这一批人是：

那不勒斯国王阿朗索、阿朗索的弟弟

篡位的米兰公爵：安东尼奥（普洛斯帕罗的弟弟）、大臣贡札罗

他们上岸后，在岛上等了很久，仍未看到王子弗迪，以为王子葬身大海。王子的父亲阿朗索悲痛地说：“我的儿啊！那不勒斯的未来国君，你在哪里啊？你不会葬身在大鱼的腹中了吧……”

阿朗索的弟弟说：“我再也看不见太子殿下了，没有储君，我们的国家谁来做王呢？”

大臣贡札罗说：“我身处大自然中，才发现大自然一切的产物，不需要武力或劳力来获得，大自然是这么丰盛，来养育人类……”

三个不同的人，说出三种不同的心声……

爱丽儿来了，她让大家昏昏欲睡。

阿朗索睡着了，半醒的安东尼奥（篡位的米兰公爵）摇醒阿朗索的弟弟，悄悄地告诉他：储君落水死了，如果趁这个时候，拿把刀把国王阿朗索杀死，做弟弟的他，就是那不勒斯的未来国王！

阿朗索的弟弟动心了，点点头。

安东尼奥又说，谋杀行动不能留下任何证据或活口，所以不能让第三者知道。三个人中的第三者，指的是贡札罗。所以贡札罗也必须被除掉。

篡位的米兰公爵拿起刀说，他杀阿朗索的同时，阿朗索的弟弟杀贡札罗！

两把刀对准两个人头，正要往下砍的时候，爱丽儿在贡札罗的耳边轻声细语地说了几句话，贡札罗醒了！

“你们拿着刀，要杀人吗？”贡札罗严肃地问。

拿着刀的人，只好摇摇头，把刀收了起来。一场临时起意的谋杀，没有成功。

第三个场景的主人是那不勒斯国王的管家。他是个酒鬼，看着船要沉了，他抓起一大瓶酒，跳进海中，爱丽儿帮他上了岸。他看四周无人，打开酒瓶，喝得胡里胡涂的时候，卡列班来了。

“老爷，老爷！”卡列班叫管家。

“我不是老爷，我是国王的管家。”

“如果你帮我把普洛斯帕罗杀死，我就做你的奴隶，你就是我的老爷！”卡列班说。

“普洛斯帕罗是谁？”管家问。

“普洛斯帕罗是我的老爷，也是这个岛的主人，如果你把他杀了，你就是这个岛的主人，是我的老爷。”

卡列班的话，打动了管家的心。管家决定试一试！

一辈子照顾主人的人，不但自己有机会做主人，可能还会做这个岛的君王，这种机缘，万不可失！

看看吧，普洛斯帕罗只是牛刀小试一番，就测出“人心的不足，人的欲望……”

岛上的三个点，不同的人表现不同的欲望：

那不勒斯国王的弟弟：想得到国王的宝座

那不勒斯国王的管家：想做小岛的主人、想做老爷

丑奴卡列班：想杀掉主人普洛斯帕罗

普洛斯帕罗的弟弟（篡位的米兰公爵）：唯恐天下不乱

王子弗迪和米兰达：只要恋爱

普洛斯帕罗看到女儿在恋爱了，他说："恋爱是要经过试探的。"

为了试探王子的真情，普洛斯帕罗给王子许多劳苦的工作，王子欣然接受，他不怕工作的艰辛，王子说："只要有米兰达相伴，就很快乐！"

普洛斯帕罗感动了，愿意答应两人的请求，让他俩结为夫妻。

爱丽儿的工作来了，他要为王子和主人的女儿，准备一场壮观的婚礼！

岛上的精灵、海中的仙女全来参加了，丰盛的餐宴、豪华的舞蹈、真诚的祝福，一对情人终成眷属。

王子：这神奇而梦幻的景观，是如此迷人而壮丽，我猜这大概都是精灵们吧？

普洛：是的，这些设计者和表演者都是我从他们的世界里用法术召唤来的，来帮我完成我为女儿米兰达举办的婚礼。

王子：这么美好的世界，还有你，有着这样一位人间稀有的神圣而爱我的父亲，就让我在这里度过一生吧，这里简直就是人间天堂！

（喜宴结束，表演接近尾声，精灵们悄然离去。）

普洛：王子，我们的狂欢已经结束。我刚才告诉过你，我们这些演员，原是一群精灵，现已化成轻烟消散了。如同这场虚构的幻景一样，高耸入云的楼阁、壮严雄伟的厅堂、富丽堂皇的宫殿、清秀俊美的人儿，地上所有的一切，都将同样消逝。我们都是梦中的人物，我们的一生如同一场梦……

当普洛斯帕罗的话，越说越消沉的时候，王子和米兰达准备要离开了。

普洛斯帕罗要两人留下，因为还有未了之事。

普洛斯帕罗把爱丽儿叫来，给她工作。

爱丽儿的最后一份工作，就是把所有人集中在普洛的岩洞前，让大家见面。

三组不同场景的人，全集中在一起了。

那不勒斯国王看到了真正的米兰公爵：普洛斯帕罗
篡位的米兰公爵看到了自己的亲哥哥：普洛斯帕罗
普洛斯帕罗看到好友贡札罗
王子看到父亲和叔叔

米兰达从没见过这么多人。她高兴地说：

“这世界真美丽，有这么多俊俏的、杰出的人！”

王子把米兰达介绍给大家后，说：

“原来她就是米兰公爵的女儿。我常常听到米兰公爵的名字，国人们都敬佩他，因为米兰达的关系，他成为我的第二位父亲！”

那不勒斯国王接受米兰达为王妃后，说：“我真高兴啊，我也成了米兰达的父亲了！不过，我必须为我过去做的事要求宽恕。”

GOOD FREND FOR IESVS SAKE FOR BEARE
TO DIGG THE DVST ENCLOASED HEARE
BLESE BE Yᴱ MAN Yᵀ SPARES THES STONS
AND CVRST BE HE Yᵀ MOVES MY BONES
THE GRAVE
OF THE POET
WILLIAM
SHAKESPEARE
1564 ~ 1616

普洛斯帕罗说："过去的事不必再提了，这是新的一天……"

贡札罗说："米兰的公爵被逐出米兰，而他的后裔又将成为那不勒斯的王族。王子在这个迷失的岛上找到他的妻子，被放逐的公爵，在这座荒岛上找到了他的王国，而我们呢，在迷失了我们自己后，在这里又找到了自己，真是值得庆贺啊！"

普洛斯帕罗说："明天，我要带你们上船回到那不勒斯去，我希望王子和米兰达的婚礼在那里举行。然后，我要回到米兰，在那儿消磨我的晚年。"

爱丽儿飞过来。

**普洛**：爱丽儿，我的小鸟，你已经自由了，可以回到空中，从此，我们永别了！（爱丽儿飞走了。）

舞台上只有普洛一人，他说：

……现在，我已把我的魔法全部抛弃，
剩余的力量都属于我自己。
而今，我已撒开我空空的双手，
不再以魔法迷人，不再有精灵为我奔走……
亲爱的观众，让你们无尽的宽容给我自由！

（剧终）

研究莎士比亚的专家学者们认为《暴风雨》中的普洛斯帕罗就是威廉·莎士比亚自己，他把自己比喻成一位魔术师，能点化沉舟，能奴使敌人，能任意捏合情人……他的笔就是他的法术；那个小岛就是他的王国；

岛上的精灵们就是演员……所以在婚礼后的那段谢词，莎翁其实是向绚烂的舞台告别，他要回到家乡长眠。

全剧的最后一段，表现的是圆融与和谐，仇恨化解了，又是个大团圆。

《暴风雨》是莎士比亚的最后一出剧。

《暴风雨》与《仲夏夜之梦》有一个共同的特点，都有庆祝婚姻的场景。但此剧是莎士比亚最后一个时期的作品，作品里有一种“和解”的意味，揭示一个迈向老年的人，经过岁月的磨练，年轻时的轻浮凌厉之气已被磨灭，人生又归于清淡平和。这种心情下的作品，自然使全戏充满了温柔仁厚，充满了诗意与宁静的气息。

在这出剧里，莎士比亚还是用了他最熟练的角色，以兄弟作为人性善恶的代表。

说起两兄弟，读者不会陌生：

《李尔王》里的埃德加和埃德蒙，为了继承家业，私生子不惜用伪证把哥哥赶走。最后，甚至出卖情报，害得自己的亲生父亲双目失明，而自己也丧失生命。

《哈姆莱特》里，弟弟以毒酒毒死兄长后，不但继承兄长的帝国，还娶了兄长的遗孀。等到哈姆莱特来替父报仇的时候，叔叔国王照样心不软，设毒计害死侄儿哈姆莱特。迪斯尼出品的卡通故事《狮子王》，就是从哈姆莱特的故事演变而来，弟弟夺得哥哥的帝国后，还娶了自己的嫂嫂。只是卡通故事有个完美的结局，小王子报仇成功。

森林、田园或孤岛，是莎士比亚的天堂。天堂是至善之境，在善的境界里，可以疗伤止痛，于是兄弟和好了，仇人间的恨事消失了，莎士比亚以这种心情回到家乡。在家乡完成的作品，更有一番人间亲情。

# 告别

1616年的4月23日，莎士比亚五十三岁生日的那天，病死在斯特拉特福新坊的家里。

两天后，莎士比亚被埋葬在圣三一教堂的墓园中。墓碑上有四句打油诗：

> 好友，看在耶稣的份上，不要
> 挖掘这里的一抔黄土，
> 祝福让我安宁的人，
> 诅咒动了我尸骨的人。

17世纪时，有人认为这四行诗是由莎士比亚本人所写，而最后一行的咒语有效地阻止了开坟的事。虽然他的妻子女儿真诚地想和他合葬在同一墓穴中，也因为害怕这句咒语的威力，未能如愿。

死亡的原因，据斯特拉特福的教区牧师说，莎士比亚被本·琼森和一些伦敦来的诗人剧作家，拉去参加一个快乐的聚会，大概是喝多了酒，回来后就出现身体不适的现象。莎士比亚自觉病情不妙，写下三大篇的遗嘱。书写专家从他遗嘱上的字体研究，有中风现象，他可能是因喝酒过多，导致脑血管破裂而死亡。

在他的遗嘱里，他把大部分的财产以及他新坊的大房子给了女儿苏珊娜，一大笔现金给了另一个刚结婚的女儿朱迪丝，一些财物分送给亲戚和朋友，以及斯特拉特福的穷人，他的一把剑给了他的好友汤姆斯·康伯，另一些小钱送给他剧场的朋友去买只纪念戒指。

至于他的老婆，只得到他“家里次好的床”。由此观之，他和他老婆在生活上，似乎并不融洽快乐。

## 朋友们的话

1613年3月10日，莎士比亚以140镑的价格，从亨利·沃克那里买到伦敦黑僧区一栋宽敞的屋子。买卖契约上写的是沃里克郡埃文河畔斯特拉特福绅士的威廉·莎士比亚。寰球剧院大火后，莎士比亚将此屋租给约翰·鲁宾逊。

这个约翰·鲁宾逊是伦敦面包街上“美人鱼酒店”的老板，艺文界的朋友们，包括本·琼森等人，都经常到这家酒店谈笑，比赛机智。据后人汤姆斯·富勒记录的《英格兰名人传》中说到，在比赛口才机智中，本·琼森像西班牙大船，笨重迟缓；莎士比亚则像英国战舰，轻巧灵活，能在波涛汹涌中，取得胜利。

莎士比亚的口才机智，从他的作品中就可一览无遗。这种天赋可能与生俱来。他家乡斯特拉特福的朋友说，莎士比亚从学校辍学后，跟着父亲学手艺，父子俩经常在自家的铺子里说说笑笑，莎士比亚偶尔也会对他爸爸说几句俏皮话。

牛津大学有个学生名叫亨利·威洛比，他写了一篇长诗《威洛比的阿维莎》。这个阿维莎是位客店的女老板，因为长得漂亮，追求者众，威洛比本人也是她的追求者。在这么多的追求者中，威廉·莎士比亚也是其中一个。威洛比这样写：“前不久，他的朋友莎士比亚才领略过失恋的滋味，最近，似乎又从热病中恢复过来……”

从这几个字来看，莎士比亚也是个风流男子。

再从另一则八卦，来探测本书的主人翁。

当莎士比亚的《理查德三世》在伦敦上演期间，饰演理查德三世的主角理查德·伯比奇深得观众欣赏。有个女观众，对舞台上的理查德三世深为爱恋，在离开剧院前，约他当晚在某地相见。两个人的悄悄话，被莎士比亚听到。当晚，莎士比亚提前到了约会地点，受到女观众热情的款待。两人正在耳鬓厮磨之际，仆人大声通报说"理查德三世到了"，莎士比亚命仆人对来客说："征服者威廉比理查德三世还早。"

从约翰·曼宁姆的这则日记，可以看出威廉·莎士比亚在伦敦的日子，过得相当罗曼蒂克。

莎士比亚似乎是个长得不错的男人。有个名叫查特尔的作家，形容莎士比亚面貌英俊、身材匀称。他也在他的书《仁心之梦》中提到莎士比亚："举止有礼、待人正直，对文字工作相当敬业，而且他文笔流畅、优美。"另一位朋友约翰·曼宁姆说他很高兴认识莎士比亚，因为他："谈吐文雅、又富机智。"只可惜，面貌英俊、身材匀称的莎士比亚只留下两幅画像。

一幅画像在斯特拉特福教堂的纪念碑上，1623年由扬森所塑。另一幅在莎士比亚剧集第一册的首页，由德罗肖特所作的雕版画。只是这两个人是否真的看过莎士比亚，也未可知，因为莎士比亚死时，德罗肖特还是个十五岁的孩子。莎士比亚的画像是真是假，难以辨认。还是本·琼森说的好："要认识莎士比亚，最好去读他的作品。"

1603年，另一位约翰·戴维斯在他的诗集《微型宇宙》中写着："名伶们，我爱你们和你们的职业，因为你们并不是滥用光阴的人；我爱你们，有人善画、有人能诗……你们的机智、勇气、身材、才能均属上乘……虽然舞台玷污纯洁和高贵的血统，你们的心灵和气度慷慨而高尚。"作者在善画旁注上理查德·伯比奇；在能诗旁注上威廉·莎士比

亚。(据说，理查德·伯比奇曾为莎士比亚画过一张画像。)

对莎士比亚最华丽、壮观的赞美应是理查德·巴恩菲尔德，他于1598年出版的诗集《忆几位英国诗人》中提到：“还有威廉·莎士比亚，你流蜜的诗文，为世界所喜爱，替你赢得赞誉，你的长诗《维纳斯》和《露克丽丝遭强暴记》，温柔贞洁，将你的名字列入不朽的史册。愿你永生，享有永生的名声，肉体虽会死亡、消失，你的大名永垂不朽！”

之后，莎士比亚从诗的领域踏上戏剧的舞台，他的哈姆莱特、李尔王、奥瑟罗及刺死凯撒大帝的勃鲁托斯，都是具有庄严气度、才干和高贵人格的悲剧性人物；他创造出的幽默滑稽角色，如《亨利四世》的福斯塔夫、《驯悍记》里的赖斯和他的狗，都有不可抗拒的吸引力；至于他笔下的女性，如朱丽叶、埃及王后克莉奥佩特拉，以及《暴风雨》中的米兰达等，令人惊奇、令人艳羡。英国桂冠诗人约翰·德莱登(John Dryden)说：“莎士比亚是现代以及古代的诗人中，拥有最大悟性、悟性最深的灵魂。”简单地说，莎士比亚是天生的诗人、天生的剧作家。

## 对后世的影响

◎ 莎士比亚的很多作品，大部分都是改编或取材于他人作品，像《罗密欧与朱丽叶》、《冬天的故事》等，莎士比亚的笔，就像暴风雨中魔术师的那根魔杖，轻轻一摇，点石成金。一个平凡的故事，经由他的魔杖，画龙点睛后，就能成为不朽的经典之作。

◎ 在莎士比亚之前的英国文坛，着重诗和散文，莎士比亚崛起之后，他的戏剧，为英国掀起另一股新兴的风潮。戏剧，成为伊丽莎白女王时期的文坛特色。

◎ 莎士比亚在他的戏剧中，创造了不少人间偶像：

《亨利四世》中的福斯塔夫：乐观、庸俗、幽默。

《奥瑟罗》中的伊阿古：一个标准的恶人。

《罗密欧与朱丽叶》：情人的代表。

《哈姆莱特》：犹豫不决的个性。

《威尼斯商人》中的夏洛克：种族歧视的牺牲品。

玩弄人间的精灵：迫克。

正直的官僚：李尔王中的肯特爵士、暴风雨中的贡札罗。

◎ 他的四大悲剧，以不同的艺术形式，表现人们现实生活中的种种冲突与矛盾。这种观察、这种表现，留给后世永远的题材与戏剧生命。例如：

《李尔王》：父子、父女间的亲情。

《哈姆莱特》：宗教以及情感上的犹豫不决，形成他特有的人生哲学。他是文学中最莫测高深，如神话般的人物，永远有讨论不完的话题。

《麦克白》：出于政治野心的谋杀，变成人性善恶对比的细腻分析。

《奥瑟罗》：异族间的恋爱和感情左右了理智，前者是原罪、后者是人性。

◎ 另外，莎士比亚在人物的创造上，有他独特的手法。从前的剧作家，人物的特性是二分法，善与恶之间，壁垒分明：勇士不能卑躬屈膝、仁人不能心怀恶念，莎士比亚打破了这种规矩，他在善人身上看出缺点，在坏人身上找出可爱之处。正如《冬天的故事》里那个小偷说的话："我从来只做恶事，偶尔也该做件好事。"还有《李尔王》中的埃德蒙，一生恶事做尽，临死之时，良心发现，想做一件善事（释放李尔王和他的小女儿）。莎士比亚的这种善恶观念，不是绝对的，它们会随着环境改变。这种想法，正如中国

的俗语："善恶只在一念之间。"这种观念下创造的人物，更切合实际。

莎士比亚除了把人性的善恶混为一体外，他把人物的悲喜也混合得恰到好处。最明显的例子，就是《威尼斯商人》中的夏洛克——一个引人发笑的悲剧人物。莎士比亚成功地用喜剧的成分去衬托悲哀的沉痛，这样一来，不但增加悲剧的力量，也更能把人生写得透彻、看得清楚。

◎ 除了剧中人的特性外，莎士比亚剧本的另一个特色是"戏中有戏"，如《哈姆莱特》剧中，哈姆莱特要剧团演员加进一段国王被毒死的戏；《驯悍记》中，那个补锅匠郎斯，被剧团人戏弄，一觉睡醒，变成贵族……莎士比亚认为戏剧演出的目的是"举起镜子反映自然"，说得直白一点，就是戏剧反映人生。

正因为戏剧是反映人生的，所以在莎士比亚的剧里，挤满了众多而复杂的人物：有的是人间英雄，有的是王公贵族或升斗小民，甚至仙界的精灵、超人或凡人，在他写来，均能出神入化，栩栩如生。莎士比亚能把各个不同阶层的社会，追根究底地给观众看得透彻，不但剧情精彩，还有令人省思的人性、有弦外之音的道德教条，和如诗的语言。

◎ 莎士比亚的语言，在不知不觉中已深入民间，对日常生活用语有深远的影响。譬如当我们说："世界是个大舞台"或是"人生如戏"，甚至对浓妆艳抹的女人说："上帝给你一张脸，你自己又创造一张脸。"这些语言都来自莎士比亚。莎士比亚的语言，丰富了英语的内涵。

◎ 莎士比亚的戏剧对英国的后起之秀，影响甚大，可以这么说，几乎所有的英国剧作家都曾借助莎士比亚的创作来写戏，其中包括17世纪最重要的悲剧作家约翰·韦伯（John Webster）和1926年获诺贝尔奖的剧作家萧伯纳（George Bernard Shaw）。

剧本之外，他也影响了许多国内外的表演工作者。很多欧美的演员都靠演他的角色，来表现出他们在演艺方面的最高成就，如英国的劳伦斯·奥立佛，因演过莎士比亚的四大悲剧，而荣获爵士。再如美国的伊丽莎白·泰勒和理查·波顿夫妇，演过他的《驯悍记》、《安东尼和埃及艳后》等，也名闻影剧界。

戏如人生。人生在世，永远都有演不完的戏，莎士比亚的影响力，也永远存在！正如本·琼森对他的评语："莎士比亚不属于一个时代，也不属于一个地区，他属于全世界，他属于永恒！"

◎ 莎士比亚的自学成功，也为后人立下一个榜样：他的老师曾告诉他："离开学校，还是可以读到很多好书。"屠夫汤姆说："只要想读书，你就找得出时间。"莎士比亚十五岁离开学校，连文法学校都没毕业，可是，莎士比亚的一生，共写了37部剧本。戏剧之外，莎士比亚写了154首的十四行诗，和578行的挽歌。

这样的成绩，令世人惊叹，原来人的耐力这么神奇，竟能以一己之力，读这样多的书，吸取这么多的知识，完成这样多的巨著。

莎士比亚刚到伦敦时，他告诉自己："只要努力，一定会成功。"如果只说不做，世界伟人传中绝不会有莎士比亚这个名字出现。所幸，莎士比亚说到做到，他是努力的、用功的。可以想象到，莎士比亚的大半人生，都是埋首在书堆中吸取知识，或伏在稿子上奋笔急书。白天夜晚……日日……夜夜……

不论读者有没有读过莎士比亚的作品，但是从这本小传中，认识了莎士比亚，读者一定会同意本·琼森所说："莎士比亚，是个属于永恒的人！"

## 永远的威廉·莎士比亚

对威廉·莎士比亚如此赞扬的人，是当时英国文学界最自大自傲的评论家——本·琼森（Ben Jonson）。

本·琼森出生于1572年，他出生于伦敦附近，父亲是教会的牧师，在琼森出生前一个月就过世了。琼森的继父，是位泥水匠师父。

琼森年少时，就读圣马丁教堂的一所私立学校。渐长以后，跟着继父从事泥水匠工作，但是发现这一行与自己兴趣相差太远，就志愿从军去了。在军中一段时间后，也不喜欢军中刻板的生活方式，随即离开军中，再回伦敦。尝试戏剧，先担任演员，后学习编写剧本。

1598年9月，他的喜剧《人人高兴》（*Every Man in His Humor*）演出，这是他第一部获得喝彩的作品。成功加上骄傲，从此养成他好批评的自大天性。

《人人高兴》之后，他为莎士比亚剧团写讽刺剧《人人扫兴》（*Every Man out of His Humor*）以及《狐狸》。《狐狸》是他最好的喜剧作品，由国王侍奉剧团演出，极为成功。因极为成功，该剧还在牛津及剑桥表演。之后，牛津大学推崇他人文方面的成就，授予他荣誉艺术大师名衔，因此被各界认同为英国当代最伟大的文学家。

本·琼森利用他在文学界的领导地位，1604年至1605年，他在伦敦邀集当时文化界的名人，每月固定在一家叫美人鱼的酒店：听听音乐、喝喝美酒、聊聊闲话，这些人中，也包括了莎士比亚。

琼森诡辩的性格决定了他的一生及论点。他是崇拜拉丁文的人，他批评莎士比亚："只懂少许的拉丁文"，实在没把莎士比亚看在眼里。

本·琼森爱好挑战，他虽自大，但对他所爱或崇拜的人却又十分慷慨，坚持自己的论点，但不失诙谐。

本·琼森多方面的天赋使他成为学者、评论家、诗人、假面戏剧作家及剧作家，简言之，他是一个天才文人。

说起莎士比亚和本·琼森，两人都是诗人兼剧作家，或许是同行相妒的关系，两人处得并不好。

只以剧场来说，当莎士比亚为"唯一剧院"和"寰球剧院"写剧本时，本·琼森在为"女王皇家小教堂"的唱诗班男童剧团写剧本，莎士比亚曾给予批评。之后本·琼森离开了他的男童剧团，带着他的悲剧剧本《西杰纳斯》加入了莎士比亚的剧团，此剧在寰球剧院上演期间，剧院老板伯比奇和莎士比亚都上台演出，增强阵容。后来，这部剧本印出时，本·琼森在序文里说："有相当部分是另一个人写的，但我宁愿用我自己的语言来写，不敢劳驾这位天才。"这位天才指的便是莎士比亚，因为莎士比亚负责剧本的修正，修正过本·琼森的剧本，得罪了他。

本·琼森的另一剧《人人扫兴》，莎士比亚又给他修改部分剧情，本·琼森很不高兴，离开了莎士比亚的剧团。所以当莎士比亚的《凯撒大帝》出版时，本·琼森嘲笑莎士比亚在剧中"废话太多"。有一位莎士比亚的好友说莎士比亚，无论写什么东西，都是一笔下去，灵感源源不绝而来，从来不曾涂掉一行字。本·琼森一听，气又来了，他反驳说："但愿他涂掉一千行！我这样说，没有恶意，我尊敬他死后的名声，我爱他，我才批评他。"

这才是批评家的英雄本色，所以，作为本书的结尾，我仍以本·琼森对莎士比亚的评语作为结束：

胜利我的大不列颠
你有一位

让全欧洲俯首敬拜的人
他不属于一个世纪
而属永恒。

for sh nared thorne of Egypt
who
She was the daughter of
Ptolemy Auletes, and born
about 68 B.C. She
She married b
Ptolemy XI
than hersel
upon Juli
put to
that sh
one
tress
and

# 莎士比亚重要记事

| 年份 | 时间 | 事件 |
| --- | --- | --- |
| 1564年 | 4月23日 | 出生在英格兰中部沃里克郡的斯特拉特福，父亲约翰·莎士比亚为当地的社团负责人。 |
| 1565年 | | 约翰·莎士比亚当选市议员。 |
| 1568年 | | 约翰·莎士比亚当选市长。 |
| 1577年 | | 父亲有财务困难的证据，被列为穷人而免税，威廉·莎士比亚因而辍学。 |
| 1582年 | 11月28日 | 与安妮·哈撒韦结婚。 |
| 1583年 | 5月23日 | 长女苏珊娜出生。 |
| 1585年 | 2月2日 | 孪生兄妹哈姆尼特与朱迪思出生。 |
| 1592年 | | 完成《亨利六世》三部曲。 |
| 1592年 | 6月 | 罗伯特·格林在他的小册子《百般懊悔换得的一毫智慧》中，讽刺莎士比亚是一只自命不凡的乌鸦。 |
| 1592—1594年 | | 剧院受到瘟疫的影响，时有关闭停演的情况，莎士比亚利用这段时间精读希腊古籍，写就《维纳斯与阿多尼斯》以及《露克丽丝遭强暴记》两首长诗，并于1593年、1594年出版，声名大噪。 |
| 1593年 | | 《理查三世》、《错中错》 |
| 1594年 | | 以演员兼剧作家，加入宫内大臣剧团，与伯比奇父子结盟。<br>《泰特斯·安德洛尼克斯》、《驯悍记》 |

| | | |
|---|---|---|
| 1594—1595年 | | 《维洛那二绅士》、《爱的徒劳》、《罗密欧与朱丽叶》 |
| 1594—1596年 | | 《理查二世》、《仲夏夜之梦》 |
| 1596—1597年 | | 《约翰王》、《威尼斯商人》 |
| 1596年 | | 莎士比亚为父亲约翰向徽章协会申请一枚徽章，10月20日，由一名负责徽章的官员为他设计了一个盾形徽章，描述他是“有房地产的富有之人”。<br>他在斯特拉特福买下新坊的房舍，作为他离开伦敦后退休之用，后来传给孙女。 |
| 1597—1598年 | | 《亨利四世》上下两部曲 |
| 1599年 | | 投资伯比奇父子在伦敦泰晤士河畔的寰球剧院。 |
| 1598—1599年 | | 《无事生非》、《亨利五世》 |
| 1599年 | | 寰球剧院开业，莎士比亚是剧院的股东兼演员与剧作家。<br>莎士比亚的独生子哈姆尼特葬于斯特拉特福。 |
| 1599—1600年 | | 《裘利斯·凯撒》、《皆大欢喜》、《第十二夜》 |

| | | |
|---|---|---|
| 1600—1601年 | | 《哈姆莱特》、《温莎的风流娘儿们》 |
| 1601年 | | 父亲约翰·莎士比亚过世。 |
| 1602年 | | 以320镑在斯特拉特福购置107英亩（合650亩）土地。 |
| 1601—1602年 | | 《特洛伊罗斯与克瑞西达》 |
| 1602—1603年 | | 《终成眷属》 |
| 1604—1605年 | | 《量罪记》、《奥瑟罗》 |
| 1605年 | | 以440镑在斯特拉特福买下当地三个小村子一半的财产。 |
| 1605—1606年 | | 《李尔王〉、《麦克白》 |
| 1606—1607年 | | 《安东尼与克莉奥佩特拉》 |
| 1607—1608年 | | 《科利奥兰纳斯》、《雅典的泰门》 |
| 1607年 | | 他的弟弟爱德蒙过世 |

| | | |
|---|---|---|
| 1608年 | | 他的母亲玛丽·阿登过世。<br>同年，他的女儿苏珊娜嫁给剑桥毕业的医生约翰·霍尔。 |
| 1608—1609年 | | 《泰尔亲王配瑞克里斯》 |
| 1608年 | | 与伯比奇父子买下黑僧剧院。 |
| 1609—1610年 | | 《辛白林》 |
| 1610—1611年 | | 《冬天的故事》 |
| 1611—1612年 | | 《暴风雨》 |
| 1612—1613年 | | 这期间，莎士比亚已从活跃的舞台生涯中呈半退休状态，时常返回斯特拉特福老家，安享余年，作品减少，完成新作：《亨利八世》、《两个高贵的亲戚》 |
| 1613年 | 2月4日 | 他的另一个弟弟理查德过世。 |
| 1613年 | 3月10日 | 以140镑买下黑僧剧院旁的一栋房屋。 |
| 1613年 | 6月29日 | 寰球剧院焚毁。 |
| 1616年 | 2月 | 他的女儿朱迪思嫁给老友的儿子。 |
| 1616年 | 3月 | 写妥自己的遗嘱。4月23日，五十三岁生日当天，因病过世。两天后，4月25日埋葬。 |

# 后记

大学，我主修的是英国文学。

教我们“莎士比亚”的是余光中教授。

每周三个小时的课，课堂里总是多了一些外来客，他们大都是仰慕教授的大名和风采而来旁听，我们本科系的同学，却是认真记录教授的精辟解说、典雅语辞，以及朗诵剧本时那种节奏分明、铿锵有力的音韵。

好多年后，儿子到英国深造，我也顺便到伦敦住上一段时日。曾经，我们开着车到莎士比亚的故乡斯特拉特福旅游参观。还特地买了票，坐在莎士比亚剧场里，看了一段《罗密欧与朱丽叶》阳台相会的演出，听了一位演员吟唱《世界是个大舞台》。

之后，又过了好久，我接到联经出版公司的邀约信，为“影响世界的人”系列，撰写《莎士比亚》。于是，我把大学时读过的《莎士比亚全集》找出来，边查字典、边作笔记。儿子说：“妈妈，你不年轻了，还需要这么用功吗？”话是这么说，不久，他为我买来五大本梁实秋先生翻译的《莎士比亚全集》。

我到杭州度假时，心里仍然挂着这位剧作家。下飞机的第二天，我就逛到新华书店，看到朱生豪先生翻译的《莎士比亚全集》，我搬回了整套剧本，然后跟自己订下游戏规则：每日上午读剧本六个小时，下午游西湖吃美食，晚上写稿。

提起笔，才知道难！这么一位前无古人、后无来者的剧作家，该从哪个角度来诠释他？

想来想去，我想到莎士比亚的朋友，也是敌人的英国大文豪本·琼森说："要认识莎士比亚，就读他的剧本！"好吧，那就以剧本为主，来介绍这位伟大的剧作家。

一个月后，回到台湾，把这份八万多字的草稿传给出版公司主编，请她给个意见。

主编的意见是："我们要的是莎士比亚一生的故事。"

莎士比亚未出名时，没有留下重要资料；出名后，虽有资料，1613年的一场大火，寰球剧院和莎士比亚的手稿记录，全部烧成灰烬……

没办法，我只得到图书馆里去找，只要与莎士比亚有关的，或是与他同时代文人留下的蛛丝马迹中，仔细去发现，再按照时间顺序排列，就这样，我把这位永远的剧作家完完整整地描绘了出来。

这段经历，令我难忘。但是，对我来说，莎士比亚这个人物，经过广泛的阅读、深度的思考，以及文字的反复琢磨后，给了我追根究底的阅读乐趣，以及少许的成就感。而且，莎士比亚的一生，正印证了：成功是百分之一的天分，百分之九十九的努力。